LULA E A
ESPIRITUALIDADE

LULA E A ESPIRITUALIDADE

oração, meditação e militância

Mauro Lopes

(organização)

© 2018 Mauro Lopes (organizador)
Kotter Editorial

Direitos reservados e protegidos pela lei 9.601 de 19.02.1998. É proibida a reprodução total ou parcial sem autorização, por escrito, da editora.

editor: Sálvio Nienkötter
coeditor: Leonardo Attuch
editor executivo: Raul K. Souza
editoração: Isadora M. Castro Custódio
capa: Jussara Salazar
fotos: Ricardo Stuckert
produção: Cristiane Nienkötter

Dados Internacionais de Catalogação na Publicação (CIP)
Angélica Ilacqua CRB-8/7057

Lopes, Mauro
   Lula e a Espiritualidade: Oração, meditação e militância / Mauro Lopes. — Curitiba : Kotter Editorial, 2019.
   p. 164

   ISBN 978-65-80103-70-6 (Brasil)
   ISBN 978-989-54566-1-1 (Portugal)

   1. Espiritualidade 2. Silva, Luiz Inácio Lula da, 1945- I. Lopes, Mauro

19-2492
                                                            CDD 200

Kotter Editorial
Rua das Cerejeiras, 194
82700-510 | Curitiba/PR
+55 41 3585-5161
www.kotter.com.br

Editora 247
Rodovia Raposo Tavares, S/N
06709-015 | Cotia/SP
+55 11 2898-9692
www.brasil247.com

1º Edição
2019

Dedico

A Lula.
Fizemo-nos amigos quando ele estava na cadeia,
de maneira misteriosa — sequer consigo explicar.
Um encontro que me emociona e alegra demais.

A Caetano.
Há 20 anos abriu-me o coração para o caminho do amor.

Apresentação

por Luiz Inácio Lula da Silva

Em tempos de exploração da fé e manipulação política promovidas por falsos profetas que semeiam a ganância e o ódio, este livro é um sopro de esperança. Aqui estão reunidas diferentes vozes, das mais diferentes religiões, falando a mesma língua: a do amor. Para mim, e para os autores e as autoras deste livro, não há outra maneira de vivenciar a espiritualidade que não seja exercer o Bem.

Não sei dizer com exatidão quando a espiritualidade entrou na minha vida. O que posso dizer com toda a certeza é que desde muito cedo aprendi a amar o próximo. Serei eternamente grato ao povo brasileiro pela bênção de poder governar este país e transformar em ações concretas a minha crença mais profunda: a de que a vida só tem sentido se cada um de nós fizer as coisas com amor, generosidade e senso de humanismo.

Não aprendi a odiar. Não odeio sequer meus algozes, que me trancaram numa cela porque tiveram medo que eu voltasse à Presidência para cuidar dos mais necessitados, achando que com isso teriam seus lucros reduzidos, e porque odeiam qualquer um que sonhe em dividir o pão. Eles não sabem dividir. Eles não aprenderam a sonhar, enquanto eu, há tanto tempo privado de minha liberdade, sigo sonhando com um mundo melhor, onde reine a paz, a fartura e a justiça para todos.

Vivi a minha vida inteira cercado daqueles que mais amo: meus familiares, meus amigos, o povo brasileiro. Sei a dor que a distância deles me causou. No entanto, a solidão que me foi imposta fez de mim um ser humano melhor. Rezei, meditei, mergulhei numa jornada de autoconhecimento. A comunhão comigo mesmo renovou minha esperança e minha crença no ser humano.

Aprendi que a gratidão é um dos sentimentos mais fortes e mais nobres. Sou grato a cada pessoa que vem me visitar na prisão, que enfrenta o frio, o sol e a chuva na inesquecível Vigília pela minha liberdade, e que mesmo à distância ora por mim, envia energias positivas e me deseja o Bem.

Aprendi também que nunca estamos verdadeiramente sós, que somos parte de um Todo. Que a cada um é dada a missão de ser feliz e fazer os outros felizes, embora tantos ainda queiram o contrário.

Agradeço de coração ao amigo e irmão Mauro Lopes, idealizador deste livro, que nunca me faltou nas horas mais difíceis, e a cada autor e a cada autora que humildemente trouxe sua mensagem de fé e esperança. A todas e todos, minha eterna gratidão.

Paz e Bem.

Luiz Inácio Lula da Silva

Querido irmão Mauro Lopes,

1º Recebi sua carta datada de 07 de 07/2019. Já li e reli sua carta, que vou guardar como um documento histórico.

2º Mauro, dê um grande abraço no amigo Pedro Lima de Vasconcelos, e diga que tenho acompanhado os cursos sempre que o Marcola me manda. Assisti à palestra do Pedro em Olinda, assisti à perseguição do Juiz contra Antônio Conselheiro, e assisti você preocupado em encontrar uma explicação para a divergência entre rezar e meditar e exercer uma militância exagerada.

3º Mauro, temos que rezar, meditar e militar nos movimentos sociais, tudo feito com o objetivo de encontrar motivação e prazer na nossa existência no planeta.

Mauro, sem esquecer que a vida só tem sentido se cada ser humano fizer as coisas com amor, generosidade e muito senso de humanismo. Sem esquecer de cuidar com muito amor sua família.

Mauro, o verdadeiro humanista está mais preocupado em doar do que receber. O importante é deitar a cabeça no travesseiro de consciência tranquila, porque fez o bem.

Abraços, Mauro. Continuo acompanhando o Paz e Bem.

Querido irmão Mauro Lopes,

1º Recebi sua carta datada de 07 de 04/2019 já li e reli sua carta que vou guardar como um documento histórico.

2º Mauro, dê um grande abraço no amigo Pedro Lima de Vasconcelos, e diga que tenho acompanhado os cursos sempre que o Marcola me manda. Assisti a palestra do Pedro em Olinda, assisti à perseguição do Juiz contra Antônio Conselheiro, e assisti você preocupado em encontrar uma explicação para a divergência entre rezar e meditar e exercer uma militância exagerada.

3º Mauro temos que rezar, meditar, e militar nos mov. sociais, tudo feito com o objetivo de encontrar motivação e prazer na nossa existência no planeta.
   Mauro sem esquecer que a vida só tem sentido se cada ser humano fizer as coisas com Amor, generosidade e muito senso de humanismo. Sem esquecer de cuidar com muito amor sua família.
   Mauro o verdadeiro humanista está mais preocupado em dar do que receber. O importante é deitar a cabeça no travesseiro de consciência tranquila, porque fez o bem.
   Abraços Mauro continuo acompanhando
PAZ e Bem

Foto: Ricardo Stuckert

No Coração de Lula Pulsa a Espiritualidade do Povo Brasileiro

Por Mauro Lopes

Este "Lula e a Espiritualidade: oração, meditação e militância" surgiu a partir de uma correspondência que mantive com Lula. A formulação que dá título ao livro apareceu especificamente numa carta de Luiz Inácio Lula da Silva de 16 de julho de 2019.

Ao longo dos meses da prisão de Lula, que se deu em 7 de abril de 2018, sua espiritualidade passou a transbordar para além do cárcere de Curitiba. Os sucessivos encontros com lideranças religiosas foram mutuamente marcantes — vários deles estão registrados pelas autoras e autores do livro, como se verá.

Para além destes encontros, houve a jornada pessoal de Lula e, de uma maneira ou outra transparecendo, cada vez mais, ao longo do tempo. O livro que você tem em mãos busca registrar e minimamente interpretar, a partir da ótica dos vinte e quatro autores e autoras, o que aconteceu com Lula no cárcere. Na verdade, ainda está acontecendo, vez que a edição está sendo finalizada nesse final de outubro de 2019, quando ainda debatem-se os termos da libertação do maior líder político da história do país.

Os autores e autoras, pela ordem em que aparecem no livro, são:

O padre Júlio Lancellotti, vigário da Pastoral do Povo de Rua de São Paulo, que relata a experiência relacional de Lula com a população de rua do país, e o qualifica como "o presidente dos moradores de rua".

A monja Coen, primaz fundadora da Comunidade Zen Budista, em São Paulo, que relata seu encontro com Lula, no qual ele lhe pediu que o ensinasse a meditar.

Larry Carlos Marchioro, Irmã Inês Pereira e Tereza Lemos, coodenadores do comitê inter-religioso da Vigília Lula Livre, que relatam a experiência do ato inter-religioso, que acontece sempre no início das noites de domingo, e tornou-se um dos principais marcos da vigília.

A Iyalorixá Adriana de Nanã contempla e interpreta a espiritualidade de Lula de maneira original, a partir de seu Orí.

O teólogo Faustino Teixeira, especialista em mística e diálogo inter-religioso, apresenta-nos a beleza da "espiritualidade terrenal" de Lula.

O historiador e cientista da religião Pedro Lima Vasconcellos foi e é o professor de dois cursos fundamentais no período de prisão de Lula, ambos produzidos e transmitidos pelo canal Paz e Bem e retransmitidos pela pós-TV 247: "Canudos — o Belo Monte de Antonio Conselheiro" e "Retalhos da Nossa História". Ele descreve como Lula, da cadeia, reinterpreta a história do país e da espiritualidade de seu povo, denunciando a ação e a retórica do "Brasil oficial" que visa esconder o "Brasil real".

Dom Angélico Bernardino, bispo emérito, que acompanha Lula em suas lutas e dores há décadas, quando era bispo da

Pastoral Operária de São Paulo, nos anos 1980, esvreve sobre a "espiritualidade militante" de Lula.

O intelectual espírita Sérgio Aleixo busca capturar uma "genealogia" da espiritualidade de Lula.

O muçulmano Hajj Mangolin apresenta num texto instigante "traços inequívocos da tradição, da mística e dos princípios do Islam na trajetória de Lula".

O babalorixá de Umbanda Pai Caetano de Oxossi, que se tornou uma presença relevante no cotidiano de Lula na prisão, narra a entrega de uma estátua de Xangô, a Lula, "um presente de um espírito chefe de nossa casa".

O frei carmelita Carlos Mesters, maior biblista popular do país, reflete sobre "a maior surpresa" da presença de Deus na vida de Lula e como isto pauta sua trajetória.

O dominicano Frei Betto, companheiro de espiritualidade de Lula há 40 anos, concedeu uma entrevista na qual apresenta-nos o amigo como alguém "de muita fé, de quem sente forte presença de Deus na vida".

O pastor evangélico Fábio Bezerril relaciona o período de Lula na Presidência com prescrições bíblicas muito precisas.

As espíritas Dora Incontri e Carla Pavão escrevem sobre o que denominam de "espiritualidade saudável" de Lula que funciona como um "antídoto ao fundamentalismo".

O teólogo católico Emerson Sbardelotti sobre vínculo entre a jornada de Lula em Curitiba e uma espiritualidade que faz radical opção pelos pobres.

O teólogo e pastor metodista Cláudio de Oliveira Ribeiro registra sua experiência na Vigília e como a expressão "Lula Livre" tornou-se um "sinal de ressurreição".

Cesar Kuzma, presidente da SOTER (Sociedade de Teologia e Ciências da Religião, no Brasil), apresenta as várias partilhas que Lula realiza, e que o qualificam como companheiro das pessoas. Lula, segundo Kuzma, é companheiro porque compartilha o pão, sua vida, a dignidade e "oferece aos pobres um caminho de justiça".

O reverendo anglicano Eduardo Henrique traça um paralelo inesperado entre a espiritualidade de Lula e sua raiz pernambucana e escreve sobre uma "espiritualidade feita da Terra, dessa pedra agreste entranhada na alma pernambucana".

O rabino Jayme Fucs Bar é outro que descreve a experiência de seu encontro com Lula na prisão e de sua surpreendente viagem de Israel a Curitiba, onde chegou em 16 de setembro de 2019, véspera do Yom Kipur.

O monge beneditino Marcelo Barros apresenta uma densa "biografia espiritual" de Lula e constata que ele é: "alguém que, ao longo de sua vida, tem aprendido a cuidar dos filhos e filhas de Deus e o faz sem necessariamente ver nisso um ato religioso".

O espírita Franklin Félix batizou uma moqueca de "Luiz Inácio Lula da Silva" e refere-se a um sonho no qual "Dona Lindu e Dona Marisa, juntas, mas em outro plano (onde as leis humanas não regem)" cuidavam de organizar "uma grande corrente de oração" por Lula.

Artur Peregrino, um dos líderes do Grupo de Peregrinas e Peregrinos do Nordeste, escreve que Lula, antes de ser um político é "um místico" com uma característica especial: tem "vida de andarilho".

Meu texto busca indicar como a espiritualidade de âmbito familiar de Lula tornou-se conhecida do povo a partir de sua prisão política, bem como indicar qual é seu eixo estruturante.

Finalmente, o grande teólogo Leonardo Boff apresenta "A dimensão ética e espiritual de Lula", artigo no qual traça o percurso da espiritualidade-humanidade de Lula para pontuar, quase ao fim: "Lula é uma figura da qual nós e a humanidade podemos nos orgulhar, por seu empenho pelos sofredores deste mundo, vítimas de um sistema que prefere o lucro material à vida em sua sacralidade".

Aproveite, conheça Lula e sua espiritualidade. É uma viagem fascinante, de conhecimento e humanização.

Bertioga, 20 de outubro de 2019,
561º dia da prisão política de Lula em Curitiba

Padre Júlio Lancellotti	Católico
Monja Coen	Budista
Larry Carlos Marchioro	Católico
Irmã Inês Pereira	Católica
Tereza Lemos	Católica
Iyalorixá Adriana de Nanã	Candomblecista
Faustino Teixeira	Católico
Pedro Lima Vasconcellos	Católico
Dom Angélico Sândalo Bernardino	Católico
Sérgio Aleixo	Espírita
Hajj Mangolin	Muçulmano
Pai Caetano de Oxossi	Umbandista
Carlos Mesters	Católico
Frei Betto	Católico
Pastor Fábio Bezerril	Evangélico tradicional
Dora Incontri	Espírita
Carla Pavão	Espírita
Emerson Sbardelotti	Católico
Pastor Cláudio de Oliveira Ribeiro	Metodista
Cesar Kuzma	Católico
Reverendo anglicano Eduardo Henrique	Anglicano
Rabino Jayme Fucs Bar	Judeu
Monge Marcelo Barros	Católico
Franklin Félix	Espírita
Artur Peregrino	Católico
Mauro Lopes	Católico
Leonardo Boff	Católico

Sumário:

Lula, o Presidente dos Moradores de Rua............................ 23
Padre Júlio Lancellotti

A Espiritualidade de Lula
Oração meditação militância 29
Monja Coen

A Espiritualidade do Ato Interreligioso da Vigília Lula Livre.. 33
Larry Carlos Marchioro, Irmã Inês Pereira e Tereza Lemos,

Lula e Seu Orí Virtuoso.. 37
Iyá Adriana de Nanã

Lula e Sua Espiritualidade Terrenal.. 43
Faustino Teixeira

Lula, o Belo Monte de Antonio Conselheiro e o "Espírito" da História do Brasil... 49
Pedro Lima Vasconcellos

Espiritualidade do Lula 57
Dom Angélico Sândalo Bernardino

Genealogia da Espiritualidade do Nosso Presidente Lula da Silva... 61
Sergio Fernandes Aleixo

Assalam Waleikum, Presidente Lula! 65
Hajj Mangolin

A Espiritualidade de um Líder 73
Pai Caetano de Oxóssi

Uma Surpresa 79
Frei Carlos Mesters

Lula, o Homem Sem Direitos 85
Entrevista de Frei Betto a Mauro Lopes

Uma Espiritualidade Voltada Para o Outro 91
Pastor Fábio Bezerril Cardoso

A Espiritualidade Saudável de Lula Como Antídoto ao Fanatismo 95
Dora Incontri e Carla Pavão

A Opção Pelos Pobres e a Espiritualidade de Lula 101
Emerson Sbardelotti

Descer da Cruz os Crucificados 107
Pastor Cláudio de Oliveira Ribeiro

Lula Livre: Companheiro de Luta e Amigo de Caminhada ... 111
Cesar Kuzma

Um Olhar Reverente a Lula 115
Reverendo Eduardo Henrique Alves da Silva

Um Encontro na Véspera do Yom Kipur 119
Rabino Jayme Fucs Bar

Nascentes de Água na Aridez do Caminho: 125
Monge Marcelo Barros

Carta de Natal ao Bom Velhinho 137
Franklin Félix

Lula, o Andarilho 141
Artur Peregrino

A Prisão Revelou a Espiritualidade de Lula ao Brasil — E Como é Ela? 147
Mauro Lopes

A Dimensão Ética e Espiritual de Lula 151
Leonardo Boff

Lula, o Presidente dos Moradores de Rua

Padre Júlio Lancellotti[1]

A espiritualidade é a força do Espírito que nos move e que nos faz caminhar e tomar decisões visando humanizar a vida. Viver a espiritualidade não é viver no mundo dos espíritos nem no além, mas sim viver a força do Espírito de Jesus nas encruzilhadas da vida.

Muitos são os importantes sinais de espiritualidade em Lula. Quero aqui destacar um dos que entendo como fundamentais.

Uma das primeiras ações que marcaram para mim a profunda espiritualidade de Lula se deu quando, ele eleito presidente, eu pude visitá-lo em Brasília. Um amigo comum foi comigo. Dissemos que queríamos tomar um café com o presidente.

Responderam-nos: "ih, de jeito nenhum! vocês nem podem chegar perto, fiquem atrás desta corda e, quando ele passar, aí vocês o saúdam. Obedecemos, mas quando o presidente nos viu, deu logo um grito "Júlio! Antônio! venham aqui!". Nos deu um abraço e nos levou para um coquetel que estava acontecendo ali. De repente ele olhou para tudo o que estava sendo servido, olhou pra esposa e disse:

"Marisa, vamos comer em casa porque eu não gosto de nada dessas coisas aqui" e nos levou pra almoçar no Palácio da Alvorada.

Quando nos sentamos para comer, uma maquininha lá fora fazia um barulho estridente e altíssimo, being! being! being!

---

[1] Padre Júlio Lancellotti é vigário da Pastoral do Povo da Rua da Arquidiocese de São Paulo

"O que é isso?" Lula perguntou a um ajudante de ordens.

"Um cortador de grama, presidente"

E o Lula, sem pestanejar: "chama ele lá pra almoçar com a gente". E não é que o rapaz veio, apavorado, tremendo, "não presidente, por favor!"

Lula o acalmou: "ô, companheiro, senta aí, vamos comer juntos, estão aqui meus amigos que vieram de São Paulo…"

Vendo a situação Marisa atalhou na hora:

"Ô Lula, você não tá vendo que o rapaz não está à vontade? deixa ele comer onde ele quiser".

E o Lula: "onde você quer comer?"

"Quero comer lá onde eu como sempre, presidente"

"Não, senta aí, come aqui com a gente"

E a Marisa insistiu:

"Ô Lula, deixa o rapaz comer onde ele quer"

E então ele foi.

É claro que ele ficou muito espantado com o Presidente da República o chamando pra almoçar.

Mas esse foi o Lula lá no palácio. Cumprimentava todo mundo, sabia o nome, perguntava pela família e todos tinham muita proximidade com ele.

Isso é um sinal. Um sinal que nem sempre quem tem um posto de autoridade é capaz realizar, ou seja, perceber o outro e valorizar a alteridade.

Naquele almoço combinamos com o Lula algo marcante, que se tornaria o fio da espiritualidade de todo o seu longo governo de dois mandatos.

Lula marcou um encontro com os moradores de rua, em toda semana de natal. No primeiro ano, ele veio a São Paulo na semana do Natal e inaugurou, na Baixada do Glicério, a Casa Cor da Rua. A cada ano o encontro se dava em um lugar, na quadra dos bancários, na Coopamare, na Casa de Oração do Povo da Rua.

O que ele sempre fazia nesse encontro? Ouvia. Esse é um traço de uma espiritualidade que renova a vida: Ele não é aquele tipo de presidente que faz um discurso e vai embora. Ele ouvia. Ouvia tudo o que os moradores de rua tinham pra dizer, tudo o que os catadores tinham pra dizer, fazia um momento de oração com eles, assistia as celebrações, todas com apresentações de teatro, dança, músicas. O presidente ficava ali o tempo todo, e foi nessa convivência que chegamos à Política Nacional para a População em Situação de Rua, em 2009. Isso aconteceu em todos os anos de mandato.

Oito anos — oito encontros com os moradores de rua.

Nesse caminho de convivência e amizade, houve um fato especial: os moradores de rua foram pela primeira vez na história ao Palácio do Planalto, em 2006 e entraram para serem recebidos pelo presidente da República.

Nesse mesmo sentido, a Pastoral do Povo da Rua da Arquidiocese de São Paulo recebeu o Prêmio Nacional de Direitos Humanos concedido pela Presidência e pela Secretaria Nacional de Direitos Humanos.

São muitos os fatos que pontilham essa trajetória do presidente Lula com o povo da rua.

No encontro debaixo do viaduto, na Coopamare (Cooperativa de Catadores Autônomos de Papel, Aparas e Materiais Reaproveitáveis), em 2005, o então arcebispo de São Paulo, dom Cláudio Hummes — que no momento desempenha um papel fundamental na Repam (Rede Eclesial Pan-Amazônica) e no Sínodo da Amazônia — disse, numa passagem inesquecível: "Presidente, hoje aqui é seu palácio, hoje aqui é minha catedral" [o encontro aconteceu na sede da cooperativa, sob o viaduto Paulo VI, em Pinheiros, São Paulo]. Isso marcou muito fortemente a fala do presidente naquele dia e ecoou demais em sua relação com os moradores de rua.

Outro episódio foi uma reunião da cúpula do BNDES no Rio de Janeiro com os catadores. O presidente Lula estava lá. Os técnicos do banco fizeram toda uma exposição com projeções, dados. Quando acabaram ele virou pra mim e pros catadores e perguntou:

"Vocês entenderam?"

E nós:

"Não, presidente."

"Nem eu."

Então ele virou pros técnicos do BNDES:

"Expliquem tudo de novo. Só na hora que eles entenderem eu vou entender. Aprendam a explicar e a falar das coisas a partir do povo."

Essa sempre foi a postura de Lula. Os moradores de rua e os catadores sempre o receberam muito bem.

Espiritualidade é humanizar. Lula sempre procurou humanizar a vida dos mais pobres, dos mais fracos, dos pequenos. Se há uma espiritualidade na qual acredito, é essa: a vida do pobre, a vida do fraco, a vida do pequeno.

Um outro episódio exemplar sobre isso.

Uma companheira de rua da Bahia, já falecida, quando houve um encontro no centro de São Paulo, num Natal, na quadra do Sindicatos dos Bancários, foi barrada pela segurança. Estava sem documentos, não tinha seu nome na lista. Ela disse para eles:

"Vocês podem fazer o que quiserem. Eu sou amiga do Lula. Vou ficar aqui na rua e vou gritar quando ele passar e vou entrar com ele".

Não deu outra. Ela gritou tanto na rua que a comitiva parou, abriu-se a porta do carro do presidente da República. Ela entrou no encontro no carro do presidente da República. Ela entrou, uma moradora de rua, uma catadora, uma mulher, uma negra, entrou no encontro de mãos dadas com Lula. Uma mulher sinal de luta, de combate.

E ela gritou para todos, feliz:

"Eu não falei que sou amiga do presidente?"

Essa é a espiritualidade que renova a vida.

A Espiritualidade de Lula:
Oração meditação militância

Monja Coen[1]

Fui convidada a me encontrar com o Presidente Lula, em Curitiba. Todas as segundas-feiras ele podia receber uma liderança religiosa, por uma hora. Fiquei muito honrada. Nunca havia conversado com ele pessoalmente e nem saberia dizer se ele estaria interessado em me ouvir. Assim mesmo, fui. Cobri todas as minhas despesas de viagem e ganhei um almoço singelo e revigorante, feito em fogão à lenha, antes de que me levassem até a Polícia Federal.

Ao me ver entrando, Lula se levantou, olhou sorrindo para mim e me abraçou.

As pessoas geralmente não me abraçam. Mas não havia nada mais natural naquele instante que abraçá-lo.

Seus olhos claros, luminosos, olham diretamente a sua interlocutora. Nada a esconder.

"Monja, eu durmo tranquilo. Sei meu papel histórico. Reconheço o momento que passa a Nação Brasileira."

Falamos sobre fé, religião, relatei minhas experiências pessoais e ele disse:

"Não sigo nenhuma religião. Ia à Igreja porque minha mulher gostava muito. Mas acredito que deva haver alguma força acima

---

[1] Monja Coen é monja zen budista brasileira e missionária oficial da tradição Soto Shu, com sede no Japão. Também é a Primaz Fundadora da Comunidade Zen Budista, criada em 2001.

da nossa, pessoal. Como que um menino pobre, nascido nos remotos de Pernambuco, pode chegar onde cheguei?"

Respondi: "Sua inteligência e sua capacidade."

No Zen Budismo tudo que acontece é devido a causas e condições que nós mesmos podemos criar, compreender, aceitar e transformar. Se em algumas das outras tradições budistas fala-se em uma força fora do ser humano, no Zen enfatizamos a força interna das práticas meditativas, dos estudos, do desenvolvimento de quem procura, pratica, esforça-se de forma correta.

Então ele me pediu que o ensinasse a meditar.

"Coloque a mão direita embaixo, com a palma virada para cima, e a mão esquerda, com a palma também para cima, sobre a palma da mão direita. Dedos sobrepostos, articulação sobre articulação e junte os polegares. Isso se chama posição do Cosmos. Estamos no Cosmos e o cosmos está em nossas mãos."

Ele brincou: "aqui falta um dedo", mostrando a mão da qual um dedo fora decepado.

"Nada falta", respondi.

Tenho ensinado meditação há muitos anos. Não precisei explicar muito. Endireitamos a coluna vertebral, e fizemos um exercício respiratório simples. Era como se ele sempre houvesse feito o exercício.

Ficamos alguns minutos em silêncio, apreciando o instante, ouvindo todos os sons, percebendo tudo que os sentidos podem perceber e percebendo a mente.

Ao terminar ele me perguntou:

"Qual o melhor horário para meditar?"

Seu olhar é cálido e brando. Estaria realmente interessado? Teria dado continuidade a esse processo simples de entrar em contato com o nosso mais íntimo?

Tudo isso aconteceu antes das eleições presidenciais. Seu irmão e seu neto ainda não haviam morrido. Ao ser preso ele pensara que seria solto em 12 dias. Mas lá continuava ainda.

Sem contar dias e horas, ser capaz de apreciar cada instante é o caminho Zen.

"Um prato de comida é suficiente. O segundo é gula." Foi o que me disse.

Eu, gordinha, faço desse ensinamento dele um refrão.

"Acabo confortando quem vem me confortar", disse Lula. Bem verdadeiro. Saí de lá confortada ao vê-lo saudável, com ótima aparência, sorrindo e aberto ao novo.

Não reclamou das condições em que estava, lembrando de quantos no Brasil não tem um aposento seguro nem alimentos diários.

Exercícios, leituras, lucidez.
Transparência no olhar sereno.
Na TV vi seu olhar triste no enterro do neto. Vi seu olhar forte defendendo-se e jurando provar sua inocência.

Sabedoria e Compaixão são os dois pilares principais de um ser desperto. Isso eu encontrei no homem que visitei brevemente, num aposento da PF em Curitiba.

Dignidade, inteligência, bondade e abertura para o aprendizado – será que não são essas as qualidades de um grande ser?

Mãos em prece.

A Espiritualidade do Ato Interreligioso da Vigília Lula Livre

Larry Carlos Marchioro[1], Irmã Inês Pereira[2] e Tereza Lemos[3], coordenadores do Comitê Inter-religioso da Vigília Lula Livre

Falar sobre a espiritualidade do ato Inter-religioso na Vigília Lula Livre é, na verdade, falar da força interior que sustenta e permeia a vida de nosso querido Presidente Luiz Inácio Lula da Silva e de todos os que na Vigília mantêm a resistência. A resistência é fruto de uma força interior, ou de uma mística que ressignifica a própria existência e a luta cotidiana de todos os que participam da Vigília e do próprio Presidente Lula. "A mística é, então, aquilo que nos possibilita sermos pessoas inteiras em todas as dimensões. É o gancho onde a pessoa prende o sentido de sua existência, é o que faz ter fé, sonhar, lutar. "Ela nos leva a acreditar que o pulsar da vida é mais vigoroso, mesmo quando as circunstâncias mostram o contrário". (Grupo TAO, 1996, p. 64)

Com a prisão do sempre Presidente Lula, no dia 07 de abril de 2018, acorreram para os arredores da Polícia Federal, no bairro de Santa Cândida, em Curitiba, uma multidão de pessoas simpatizantes e

---

[1] Larry Carlos Marchioro, Mestre em Ciências da Religião - PUC-SP, atuou como frade franciscano na formação de lideranças e coordenação do Ensino Religioso e catequese nas periferias de Petrópolis - RJ e São Paulo - SP.

[2] Irmã Inês Pereira, religiosa da Congregação das Irmãs Franciscanas de São José. É secretária-geral da Congregação e integra a Pastoral Carcerária da Arquidiocese de Curitiba.

[3] Tereza de Fátima dos Santos Rodrigues Lemos é professora da educação básica, dirigente Estadual da APP-SINDICATO, sindicato dos professores da rede estadual do Paraná. Integra a coordenação da Vigília Lula Livre.

solidárias a Lula, como também movimentos sociais, com destaque para o MST, CUT e MAB. Formava-se, assim, a Vigília Lula Livre, que até os dias de hoje clama e reivindica a liberdade de Lula.

Muitos desafios são enfrentados pelos que se dispõem a acompanhar os dias de Lula na prisão. Incompreensão dos vizinhos, a aspereza dos não-simpatizantes, atos de agressão por opositores políticos, ordens de despejo e frustrações com o poder judiciário são alguns dessas adversidades.

Um julgamento injusto de um presidente que tanto fez pelo Brasil causa indignação e incompreensão diante de tamanha arbitrariedade. Mas o carisma de Lula faz com que a teimosia militante seja determinante na esperança de sua libertação. Não obstante, dessa teimosia esperançosa nasce a necessidade de compreender os acontecimentos para os quais a nossa razão já não consegue mais dar respostas. Espontaneamente desabrocha um desejo de ir além da realidade que se vive. Olha-se para os lados à procura de respostas, mas elas se confundem com a falta da verdade e da justiça. Como que religando o mais profundo do ser humano com a sua existência, floresce um sentimento religioso que perpassa os fatos. Muitas vezes quando estamos diante de situações, para as quais não encontramos respostas, ousamos olhar para o alto. Saímos de nós mesmos para dialogar com uma realidade maior, a qual denominamos de muitos nomes e maneiras, mas na qual todos se encontram de forma originária e fraterna. Intui-se, então, que há um sentido maior da história e que se faz oculta aos nossos interesses e compreensões pragmáticas. Tal qual a criança, no despertar para a vida, começamos a balbuciar palavras e sentimentos num gesto de unir o céu e a terra, a nossa pequenez com a imensidão d'Aquele com quem dialogamos, oramos, rezamos, cantamos... e surge o aprendizado da irmandade, da solidariedade, da alegria das mãos dadas, do sentirmo-nos responsáveis mutuamente uns pelos outros e, deste jeito, surge a Palavra que se faz Comunidade (Jo 1,14). Neste momento de epifania a luz se manifesta e congrega todos e todas ao redor da vida, unindo as forças na única causa que faz todos resistirem na Vigília Lula Livre: a liberdade não só do homem Lula, mas de toda uma nação que aspira por vida digna, direito para todos e soberania nacional.

Desta vivência da realidade do dia a dia da Vigília Lula Livre floresce uma religiosidade encarnada com a vida, uma Teologia pé no chão. Sua força vem da fé que alimenta os corações tocados pela crença na vida. E é o testemunho da história da vida de Lula, o baluarte a congregar tantos e tantas por um projeto de sociedade que visa o bem comum de uma nação inteira.

Além do sentimento religioso de teístas e ateístas, o núcleo da espiritualidade na Vigília é o slogan que Lula escreve em cada bilhete que envia: SEM MEDO DE SER FELIZ! A fé na felicidade concreta das pessoas, onde as necessidades de sobrevivência sejam atendidas, tais como moradia, saúde, educação e, principalmente, pão. Eis o que move o rezar da vigília, que clama — em meio ao deserto da injustiça — pelo maná no deserto. A fé na felicidade de se ter dignidade como pessoa humana, independentemente de raça, classe social, religião que pratica, orientação sexual... de ser reconhecido como único e por isso especial no seu jeito de ser, de ter um nome respeitado, um endereço que lhe dá cidadania. A fé no equilíbrio de toda natureza em busca da harmonia entre todos os seres viventes e onde a evolução seja benfazeja a todo o ecossistema da Mãe Terra. É esta fé encarnada que transforma em palavras a oração nas celebrações inter-religiosas da Vigília Lula Livre.

Celebrar na Vigília Lula Livre é motivar a fé diante dos acontecimentos, contemplar a realidade à luz das diversas manifestações religiosas que ali se fazem presentes, ajudar fraternalmente a fazer uma hermenêutica que possibilite ver a luz no final do túnel, quando se está na curva. Alimentando a fé com os sentimentos de perseverança e resistência teimosas, traduzidas nos atos de solidariedade entre os participantes da Vigília que partilham pão, saúde, amizade, angústias e alegrias, incertezas e esperanças, a celebração inter-religiosa aglutina todos e todas numa oração-responsório, em meio a passagem do deserto da prisão do Presidente Lula. Ora cansados, ora animados... abre-se a Bíblia, acende-se a vela e deixa-se o Espírito soprar como quiser. Padres, pastores, pais e mães de santos, pajés, religiosos e religiosas, lideranças, leigos e leigas, todos se deixam inebriar pelos passos dados na semana que passou e pelo vento suave do Deus criador, que passa entre seu povo e faz revelações inesperadas. Acampados como no deserto, sonha-se com a Terra Prometida. Formam-se as tendas, como no Monte Tabor, para vivenciar o milagre da transfiguração e da iluminação ao qual todos aspiram. Arruma-se a mesa para a partilha do pão, para o atendimento à saúde, para o consolo espiritual e para a profunda vivência de respeito a cada um que lá se achega.

E vem gente de longe ficar perto de Lula. Ficar perto do que Lula significa para seu povo, que conhece sua história e, por certo, da cela da Polícia Federal ouve, canta e reza com seu povo. Destruiu-se o templo de pedra e constrói-se o templo do irmão, presença da divindade em meio à toda criação. Transfigura-se a realidade dita por Jesus: "O Reino de Deus não vem ostensivamente. Nem se poderá dizer: 'Está aqui' ou 'está ali', porque o Reino de Deus está no meio de vocês!" (Lc 17,20-21).

Lula e Seu Orí Virtuoso

Iyá Adriana de Nanã[1]

Refletir sobre a espiritualidade do presidente Lula é o mesmo que refletir sobre a espiritualidade do Brasil. Um país miscigenado, com mais de 60% de negros e afrodescentes, com ancestralidade complexa e fé profunda. Luiz Inácio Lula da Silva ultrapassou, há muito, o espectro do simples líder da nação, tornando-se a força motriz de uma grande ideia, como ele mesmo diz. A ideia de que a força do povo unido é capaz de realizar grandes transformações no país e mais, a de que é possível desenvolver programas e investimentos com foco em viabilizar que a família brasileira possa viver com dignidade, harmonia e felicidade e, ao mesmo tempo, por colocar o pobre, que é quem gasta integralmente o que ganha movimentando todo o ciclo econômico do país, levar o país ao patamar de grande potência econômica com relevância política planetária.

Aqui minha reflexão sobre a espiritualidade do Lula se calca em conceitos da cultura e religião de matriz africana, mas ao mesmo tempo de indivíduo, de pertencimento, de família, e de sociedade, pois é nesta fonte que me alimento, a raiz do candomblé, do qual faço parte, e no qual se baseia meu sacerdócio.

Na compreensão africana não existe o indivíduo sem a família — nosso culto é baseado na ancestralidade. Acreditamos que cada um de nós está ligado a nossos ascendentes, biológica e espiritu-

---

[1] Iyá Adriana de Nanã, zeladora do Ilê Axé Omó Nanã, integrante da Frente Inter-religiosa Dom Paulo Evaristo Arns por Justiça e Paz, palestrante e ativista dos direitos humanos e no enfrentamento ao racismo religioso.

almente, desde o mais remoto até os pais e avós, na atualidade. Ao implementar programas como o ProUni, Bolsa Família, Minha Casa Minha Vida e até mesmo o PRONASCI, da área de segurança pública, entre outros, ou mesmo antes de tudo isso, durante a luta pela humanização do mundo do trabalho no período sindical, Lula estimulou o desenvolvimento de elementos fundamentais para o fortalecimento familiar, que é a garantia do sustento com dignidade, o acesso à cultura, ao lazer, à educação formal, à segurança, à moradia e à vivência comunitária. Se inicialmente pôde beneficiar os metalúrgicos, posteriormente levou isso a toda a nação.

Trata-se de elementos primordiais para o desenvolvimento humano, assim como para a construção de uma ordem social que reduza as desigualdades, provocadas pelo sistema capitalista. A trajetória de sua vida até o momento mostra, com erros e acertos, a busca pela melhoria da qualidade de vida dos mais pobres, dos esquecidos, dos excluídos. Muitos podem acreditar ser este um caminho natural, devido à sua origem humilde; mas devemos reconhecer que poucos seriam capazes de sonhar em chegar tão longe. Isso só foi e é possível porque Lula tem o que chamamos de um Orí[2] (cabeça) virtuoso.

Acreditamos que no Orí trazemos elementos de nossa ancestralidade, nossas virtudes, nossa personalidade, o destino ou, como costumo dizer, nosso "pré-projeto da vida" que estamos compro-

---

[2] Orí: a cabeça como divindade. Para a matriz africana, Ori é a cabeça no campo imaterial, onde trazemos registrado nosso destino pré-combinado antes de nascermos no corpo físico. Cultu-amos Orí como uma divindade tão importante quanto os Orixás, pois a partir dele é que fazemos boas ou más escolhas na vida. Pode-se considerar como um deus pessoal, individual, imbuído dos elementos necessários para cumprirmos nosso propósito na Terra. Para mais informações: JAGUN, M. de; Rio de Janeiro: Litteris, 2015.

metidos a realizar aqui na Terra. Somos tocadas e tocados pelas influências do meio em que vivemos, as oportunidades que nos são dadas ou tiradas, mas uma boa cabeça fará sempre as melhores escolhas, diante de quaisquer circunstâncias.

Assim é com Lula. Todas as vezes em que se viu ameaçado, manteve-se firme em seus princípios, voltado a um projeto maior. Ele poderia ter desistido quando as coisas ficaram difíceis durante as greves nos anos 70-80 sob o regime militar, quando foi feito prisioneiro pela primeira vez. Mas não desistiu; sua liderança fortaleceu os sindicatos, abriu espaço à vitalidade do chão de fábrica, fez-se caminho para melhores condições de trabalho e vida dos trabalhadores e trabalhadoras.

Com a potência criada pela união dos trabalhadores, voltou sua energia à criação do Partido dos Trabalhadores. Não o fez sozinho, mas sua liderança foi o motor propulsor para toda a construção, até que ele chegou à Presidência do maior país da América Latina.

Antes da eleição de Lula, era inimaginável vislumbrar, num país tão racista e classista, forjado sob o tacão de um patriarcado branco, que um homem nordestino, sem curso superior, oriundo de tudo o que a elite despreza chegasse ao comando da Nação.

Quando Dona Marisa ficou doente e seus inimigos atacavam-na para ferir a ela e a ele, Lula poderia ter abandonado tudo, principalmente após a morte de sua amada. Depois veio a morte do irmão e do neto, com ele já preso. Quem pode dizer que teria forças para continuar? Quantos não desistiram por muito menos? Mas Lula, como um rei africano, continua de pé e usa de sua dor, as ofensas e injúrias que vem sofrendo, como força para continuar defendendo sua honra e seu povo.

Segundo Jagun (2015), os iorubás acreditam que os deveres morais são incutidos no Orí por Olorum (Deus), o que chamam de Ifá Àyà, uma espécie de oráculo interior. Cada um de nós nasce com diretrizes éticas e morais inatas. Cabe ao homem, através de seu livre arbítrio, seguir ou não essas diretrizes. Jagun esclarece:

> Uma pessoa seria boa ou má conforme ela corresponde ou desobedece ao seu oráculo interior, à sua consciência. Novamente, o Ori ganha importância ao ter a liberdade de optar pelo cumprimento ou não das orientações éticas que o próprio Olórun teria lhe ofertado. Destaca-se o Ori como uma entidade autônoma, dotando o ser da capacidade de decidir como agir. O Orí que resolve seguir o Ifá Àyà, praticando assim a ética e a moral depositadas por Olórun, é capaz de contribuir para o bem de seus semelhantes e para o engrandecimento de sua comunidade. (Jagun, 2015)

Lula é portador de um Orí que traz em si fortes registros dos desígnios de Olorum, para ele, pessoalmente, e para o povo brasileiro. Esta é a força divina que o fortalece e não permite que ele desabe frente às dores e as perdas pessoais e políticas.

Quando ouvimos seus companheiros de luta desde a luta sindical, a maioria refere-se a Lula como um grande pai. Esta é uma característica da ascendência africana, na qual o líder da comunidade não se preocupa apenas com as relações políticas e econômicas, mas principalmente com a harmonia, o equilíbrio e a felicidade de sua comunidade.

O Orí de Lula escolhe caminhos que destacam sua sensibilidade e sua humanidade. Temos em nossa sociedade o costume de ver a forte liderança como um espectro exclusivo dos homens fortes, mas frios e inabaláveis emocionalmente. Notem que Lula é um homem que se emociona, chora de alegria e de tristeza, abre mão de si pelo bem maior, acolhe e faz questão de abraçar as pessoas, independentemente de quem sejam e de onde chegam. Sua força está claramente num Orí que transborda sua humanidade e fortalece a humanidade em cada um que por ele é simbolicamente tocado.

Nossos ancestrais permanecem ao nosso lado, para nos apoiar e fortalecer, de forma a superarmos as dificuldades, os obstáculos, garantindo assim nossa existência no hoje, pois somos o futuro daqueles que se foram. A força espiritual de Lula honra sua ancestralidade e a de todos os brasileiros que doaram e doam sua força vital para fazer deste país um lugar justo e humano.

Tenho fé que Xangô fará justiça.

Lula e Sua Espiritualidade Terrenal

Faustino Teixeira[1]

*"Vamos aproveitar
toda a nossa capacidade crítica
e criativa para construir paraquedas coloridos"*
(Ailton Krenak)

Já dizia um dos mais clássicos autores que trabalham a espiritualidade, o catalão Raimon Panikkar, que ela deve ser entendida como passo "integral", como caminho de experiência da vida, como "carta de navegação". Ela não se confunde com religião, pois diz respeito às qualidades de vida, entre elas a compaixão, a hospitalidade, a cortesia e a delicadeza. São valores que se encontram distanciados de nossa vida cotidiana, tomada pelos imperativos do mercado e da eficácia. A vida espiritual envolve sobretudo "estar presente", como indica Thomas Merton, outro grande nome da vida contemplativa. Para ele, a contemplação é um dom que potencializa as pessoas a despertarem para a infinita Realidade que habita dentro de tudo o que é real.

Esses traços encontram-se profundamente presentes em Lula, que, sem dúvida, é um dos personagens mais carismáticos e proféticos que marcam o nosso cenário latino-americano e mesmo internacional. Como disse o historiador inglês Eric Hobsbawm, Lula "ajudou a mudar o equilíbrio do mundo ao trazer os países em desenvolvimen-

---

[1] Faustino Teixeira é professor e pesquisador do Programa de Pós-Graduação em Ciência da Religião da Universidade Federal de Juiz de Fora, Minas Gerais - PPCIR-UFJF. É doutor e pós-doutor em Teologia pela Pontifícia Universidade Gregoriana, de Roma.

to para o centro das coisas". Dificilmente vai surgir alguém com um carisma assim tão vivo e cativante, que repercute e irradia um sentimento popular dos mais nobres e convidativos. Tendo em conta essa perspectiva mais ampla da vida espiritual, entendida como experiência compatível com todas as coisas, Lula reverbera em sua prática, caminhada e experiência uma nobreza espiritual rara, diria uma honradez que é exemplo para todo aquele que busca uma vida justa. Sua presença na presidência da república por dois mandatos, no início do segundo milênio, resgatou o que há de mais bonito e fundamental da vida dos pobres: sua cidadania. Seu trabalho mais decisivo foi reduzir o campo da pobreza num país marcado pela cotidianidade da opressão. Daí a alegria que ele deixou entre os mais excluídos, que retorna a cada momento que ele entra em cena, aquecendo sobretudo o coração dos desvalidos, que puderam com ele sonhar com uma vida diferente.

Numa de suas mais recentes e expressivas canções, Gilberto Gil assinala que a razão mais viva de sua busca é a nobreza da alma. Vejo isso com nitidez na presença de Lula. Em visita a Lula, em maio de 2018, Leonardo Boff pôde testemunhar a espiritualidade do amigo, no primeiro mês de sua prisão. O que mais o impressionou foi o "ânimo" e a "esperança" de Lula, naquele momento difícil de sua vida. Tudo isso não surge à toa, mas é fruto de uma experiência escaldada numa prática cotidiana, mas também num exercício meditativo, que acompanha Lula ao longo de sua trajetória. Ninguém mantém viva a esperança sem um cuidado com o mundo interior. Boff pôde perceber esse traço religioso — espiritual — na cela do amigo, em que um crucifixo orna a cabeceira de sua cama. Não é uma religiosidade qualquer, mas uma religiosidade experimentada, onde Deus emerge como "uma evidência existencial". E uma espiritualidade semelhante à do personagem Riobaldo, do *Grande Sertão: Veredas*, de Guimarães Rosa, que acolhe com alegria a diversidade como um bem: "Muita religião, seu moço! Eu cá, não perco ocasião de religião. Aproveito de todas. Bebo água de todo rio". Espiritualidade e Vida se compõem na vida de Lula como uma linda melodia. Como alguém do povo, exclui qualquer privilégio pessoal, quer se inserir no caminho singular de sua gente e participar de suas agruras e alegrias, dores e esperanças. Num momento como o atual, onde tanta gente vem "adoecendo de Brasil", como mostrou tão bem Eliane Brum em recente artigo, o grito de Lula se faz ainda mais necessário e urgente. São tantas as pessoas que estão adoecendo, deprimindo-se com a ausência de horizontes, com a falta de sentido. Tudo em razão de uma perversidade em curso, que estreita os caminhos do futuro e aponta para um horizonte assombroso. Nesse momento particular, o Brasil precisa de um grito que venha de entranhas populares, que traga à baila a serenidade de um outro caminho, de uma outra proposta, fundada na ética e no bem-viver. O momento é difícil e urge um cuidado muito especial com a vida interior, para evitar que o desespero ocupe o lugar da sensatez e da disposição de caminhar para um horizonte mais seguro.

Em sua experiência na prisão, que já se aproxima de ano e meio, Lula tem meditado cotidianamente. Vive uma prática de oração e leitura, de ponderação crítica, podendo aprofundar seu caminho passado, seu momento atual e seus projetos futuros. Como ele diz: "Eu passo o tempo inteiro sozinho". Muita coisa vem sendo gestada nesse tempo propício, e diria que também muitos sonhos são acalentados, alguns novidadeiros, que podem acionar um rumo distinto para esse momento sombrio. Das coisas que mais me chamam a atenção em sua experiência na prisão é sua busca reiterada por não deixar o ódio tomar conta de seu coração. Como profeta certeiro, Lula prioriza um trabalho interior que exclui o ódio, a mágoa e a revanche. Desvela-se para ele, ao contrário, um caminho que é de serenidade. Diz que vai sair dali melhor do que entrou, isto também em razão desse trabalho interior. Expressa claramente que não quer que seu coração seja tomado pelo ódio. Isso podemos perceber vivamente em seu olhar. Tudo me faz lembrar uma singular mística holandesa, Etty Hillesum, que morreu em Auschwitz em 1943, aos 29 anos de idade. Marcada também por uma vida interior trabalhada, dizia que seu trabalho fundamental era contribuir para que a "escolha de amor" pudesse crescer sobre a terra. Indicava em seu diário que "cada migalha de ódio que se acrescenta ao ódio já exorbitante, torna esse mundo inabitável e insustentável". Sua grande tarefa, como "coração pensante" do campo de concentração, era despertar para a vida aquilo que estava morto dentro dos vivos. Vejo também essa a grande tarefa de Lula nesse momento do Brasil. E aqui fica um convite particular, para animar a reflexão de Lula em seus momentos de prisão: o de ampliar sua rede de compaixão, de modo a poder envolver toda a natureza e o cosmos. Trata-se de um dos mais essenciais desafios de nosso tempo, que avança arriscadamente para uma catástrofe. Lula poderia erguer-se agora como um paladino da Florestania, da defesa da Amazônia e dos povos originários; da luta em favor da integridade da criação e da inter-conexão de todos os seres. Não defender exclusivamente os humanos, mas todas as espécies companheiras ameaçadas. Nessa nobre luta, tão assinalada por alguns brasileiros especiais, como Leonardo Boff, assinala-se a ampliação das malhas da hospitalidade, a "ampliação da personalidade jurídica da floresta". Não somos apenas nós os humanos que merecemos destaque, mas toda a criação, com seus direitos característicos. Hoje se torna cada vez mais claro que o âmbito do "nós" se amplia com novos parceiros, que merecem o nosso grito de apoio. Mantemos acesa a nossa luta em favor dos pobres, que são os privilegiados de Deus, mas também ampliamos nossa luta em favor do direito da floresta, dos animais, dos vegetais, dos minerais e de nossa mãe Terra. Como apontou Boff, temos que incluir a Terra, esse superorganismo vivo, no "rol dos cidadãos". Aí sim, a nossa luta será completa e espetacular, mostrando a linda malha que nos une e nos agrega como povos de Gaia.

Lula, o Belo Monte de Antonio Conselheiro e o "Espírito" da História do Brasil

Pedro Lima Vasconcellos[1]

"Nunca antes na história deste país...": esta formulação, ainda que tantos dela tenham feito não pouca chacota, todos recordamos com que vigor era proferida e repetida. A razão para tal é que quem a proclamava a plenos pulmões não tinha receio, sabia do que estava falando, sabia do lugar único que seu governo ocupava. Da mesma forma o projeto que tratou de encarnar, a duras penas, e em meio a inevitáveis ambiguidades que repercutiram exatamente contra ele, culminando na forma como sua criminosa prisão foi tramada e efetivada. A referida expressão, aparentemente uma bravata, encerrava mais que tudo um extremo conhecimento de causa: jamais foi um mero bordão. É que Lula tinha, e cada vez tem mais, um profundo entendimento da história brasileira naquilo que é seu "espírito" – no sentido weberiano, por exemplo. Ele diz, com a fluidez que lhe é peculiar e tão própria, aquilo que permeia algumas das mais importantes e densas obras de um Jessé Souza, quando denuncia a lógica escravocrata de boa parte da elite do país. A lógica que, na verdade, perpassa nossa estrutura social em sua matriz: mesmo que em seu governo os ricos tivessem ganhado como nunca – ele mesmo o reconhecia –, pesou contra ele que os pobres também ganhassem, em dignidade e possibilidades; e isto, ao final, é inadmissível para aqueles que até então eram os únicos privilegiados.

---

[1] Pedro Lima Vasconcellos é mestre e livre-docente em Ciências da Religião, Doutor em Ciências Sociais e pós-doutor em História. Professor de Programa de Pós-graduação em História da Universidade Federal de Alagoas (UFAL).

Lula entende a complexidade de nosso desenrolar histórico, tanto nos detalhes de seus meandros quanto nos eixos basilares que o sustentam. E, neste sentido, o processo que envolve o Belo Monte de Antonio Conselheiro, mais conhecido como Canudos, não é apenas um qualquer. Ecoa em Lula o entendimento expresso pelo mestre Ariano Suassuna: "quem não entender Canudos, não entende o Brasil". Houve uma dramática referência feita por ele a este evento relativo à gente sertaneja, que dá conta desta compreensão em sua densidade maior. Afinal, alguns milhares dentre essa gente foram brutalmente destroçados por sucessivas incursões policiais e militares, a mando das forças alçadas ao poder no então recente republicanismo do fim do século XIX.

Mas a história do Brasil, e de Belo Monte em particular, quando desnudada em seu "espírito", ajuda a entender Lula, nos diversos momentos de sua vida, e particularmente no atual. Ajuda a entender o processo que constituiu a sua vida. Não posso escapar a um comentário, mesmo que ligeiro, a este respeito. São, basicamente, duas pontuações que proponho nesta oportunidade.

I

Foi num momento decisivo do vergonhoso e farsesco processo que o levaria à prisão e ao alijamento do processo político de 2018 que Lula fez a seguinte consideração, referida ao desembargador Carlos Eduardo Thompson Flores Lenz, então presidente do TRF-4 de Porto Alegre, de arranjos internos suspeitíssimos:

> Esse cidadão, ele é neto do general Flores, que invadiu Canudos e matou Antonio Conselheiro. É da mesma linhagem. Então, quem sabe ele esteja me vendo como um cidadão de Canudos e queira acabar com a minha viagem.[2]

Esta fala de Lula se deu quando estava na iminência de a sentença de sua condenação, exarada pelo sempre "imparcial" juiz Sergio Moro (que o digam os dados que emergem das revelações do Intercept!), ser levada a avaliação junto à segunda instância, a saber, o referido TRF-4.

A mídia de direita tratou de o enxovalhar, denunciando os erros fatuais encontrados naquela fala improvisada, já que o Flores de hoje é na verdade sobrinho trineto do coronel Tomás Thompson Flores, que morreu em combate contra o arraial conselheirista três meses antes que o líder deste também viesse a óbito, por força e obra da repressão oficial. Mas não é a estas filigranas que Lula está se referindo. Ele pensa num processo, no tal "espírito" da história que teima em se repetir, a um tempo como farsa e como tragédia, quase a cada dia. Dois autores, entre outros, podem aqui ser evocados, pelas suas categóricas formulações desta dinâmica que atravessa a história brasileira, e que teve no massacre perpetrado à gente do Conselheiro uma das suas mais eloquentes e pavorosas expressões; primeiramente, o já evocado Suassuna:

---

[2] A expressão de Lula sobre Thompson Flores - https://odia.ig.com.br/amp/_conteudo/2018/01/brasil/5505768-moro-deveria-ser-exonerado-diz-lula.html (acesso em 19/08/19)

O grande poeta que contou a história de Canudos... Porque o que aconteceu em Canudos. Lá, o Brasil real ergueu a cabeça e, nós, do Brasil oficial, fomos lá e cortamos essa cabeça.

O grande poeta foi Euclides da Cunha, no livro *Os Sertões.*

Eu vivo dizendo, quem não entender Canudos, não entende o Brasil. Porque ali pela primeira vez o Brasil real tentou se organizar, não da maneira que diziam a ele como ele era. Tentou se organizar de maneira política, econômica, social... aí o país oficial foi lá e cortou a cabeça na pessoa de Antonio Conselheiro. Ele já tinha morrido de um estilhaço de granada... Eram cinco mil homens contra quatro, no fim. Um velho, um adulto e duas crianças, que tinham escapado. Diante de quem, como dizia Euclides da Cunha, rugiam as baionetas de cinco mil soldados...

Foi um exemplo único na história, não sobrou ninguém. Fizeram isso. Nós fizemos isso. Então, nós, que comemos duas vezes por dia, que temos salário no fim do mês, nós que temos direito a uma vida digna, temos obrigação moral de olhar para esse povo...[3]

O acento é de Ariano, mas a constatação da existência de dois países num único ele a recolhe de Machado de Assis: a guerra contra o Belo Monte é uma das tantas expressões de como o Brasil oficial, caricato e burlesco, avança sem dó nem piedade sobre o Brasil real, o de sua gente generosa e esperançosa, apesar dos tantos revezes.

---

[3] Citação de Suassuna está em http://blogacritica.blogspot.com/2015/04/ariano-suassuna-luta-do-brasil-real.html (acesso em 19/08/19)

A segunda referência eu a busco em Antonio Houaiss, nosso mais notável dicionarista, referindo-se ao autor de Os sertões: campanha de Canudos, obra-prima da literatura brasileira:

> Quem lê Euclides da Cunha, desde o primeiro momento vê que há dois Brasis: um inclemente, e outro vítima das inclemências.[4]

Novamente, dois países no interior de um único. E Lula, ao acentuar o vínculo sanguíneo entre o agressor de ontem e o carrasco de hoje, não está ocupado com a exatidão do grau de parentesco; diferentemente disso, quer acentuar o pertencimento de seu algoz a uma linhagem, a um dos países, aquele que costuma "acabar com a viagem" de todos quantos lhe incomodem os passos que dá e as truculências que perpetra.

Lula entende a história para além dos fatos isolados, das informações de nomes e de cronologias: delineia um eixo, uma linha de muito longa duração, de que o ocorrido ao Belo Monte de Antonio Conselheiro é uma expressão tão chamativa quanto trágica.

Ao mesmo tempo Lula está evocando a possibilidade de esperar e fazer acontecer: assim foi o arraial para a gente que o fez, antes que a brutalidade da guerra se fizesse notar. Assim começou a ser o Brasil nos inícios deste milênio, antes que "a elite do atraso" mostrasse uma vez mais as garras, e produzisse o desastre em vertiginosa escala que estamos experimentando dia após dia nos últimos anos.

---

[4] A citação de Houaiss está em: Euclides da Cunha. Os sertões: campanha de Canudos. São Paulo: Ubu/Sesc, 2016, p.669;

II

O historiador Eduardo Hoornaert tem uma formulação a propósito do *opus magnum* de Euclides da Cunha que considero exemplar. Foi por conta de sua intrincada concepção, de implacável coerência, diz ele, que o livro veio a soar

> como um exorcismo junto à intelectualidade brasileira. Era preciso sacrificar o Conselheiro no altar da honorabilidade brasileira para que a elite do país pudesse recuperar-se do trauma causado pela memória de uma ação tão covarde do governo do país diante de uma comunidade de pobres sertanejos.[5]

Esta consideração é genial, tanto para decifrar o que muitos não alcançam reconhecer sobre o "espírito" – sempre ele – que anima a pena euclidiana, mas também para que se possa entender o que não tem outro nome para nomear: o cinismo daquele "Brasil oficial" que, desde 1500, tem dado as cartas por aqui. Houve certamente uma notável interrupção, até certo ponto, nos treze anos de governo protagonizado por forças progressistas, dos quais temos as melhores lembranças, quanto a suas conquistas e também seus limites. Mas as pessoas que constituem tal Brasil – o oficial, o inclemente – não se arrependem das maracutaias que tramam e tecem, muito menos das perversidades que desfecham sobre o outro Brasil. Assim como em tempos nem um pouco remotos, também no fim do século XIX multidões foram para as ruas, principalmente na capital Rio de Janeiro, para pedir a destruição

---

[5] A citação de Hoornaert: Eduardo Hoornaert. Os anjos de Canudos: uma revisão histórica. Petrópolis: Vozes, 1997, p.81-82.

do Belo Monte, insufladas que tinham sido pelas forças do andar de cima, controladoras das informações e vazadoras daquelas que tratavam de confeccionar: o Belo Monte, antro de comunismo e sede de conspiração restauradora monarquista. Não importam aí contradições, ou escrúpulos: é preciso combater e destruir. Mata-se primeiro; depois se verifica se o contingente morto merecia o ataque. Em caso negativo, busca-se uma forma de alívio: *Os sertões* se prestou a isso.

Mas nem se pense que a gente camponesa do Contestado poderia, dez anos após a publicação do livro, respirar aliviada ou esperançosa: as forças da repressão avançariam contra ela com truculência ainda maior, em guerra de muito maiores proporções que aquela que vitimou o vilarejo conselheirista. E, no caso deste, para que a elite cínica alcançasse o já mencionado alívio pós-trauma, fabricou-se um Antonio Conselheiro no formato de um bode expiatório, é o que diz Euclides no fatídico capítulo 4 da Parte II de *Os sertões*. Este livro se impôs, para além de seus inegáveis altos méritos literários, porque permitiu ao "Brasil oficial" lançar a culpa final pelo massacre ao "mal-entendido", sobre a vítima escolhida para o sacrifício.

E não faltaram ciência e retórica a sustentar tamanha convicção. O Conselheiro pagou por se haver atrevido a respirar altivo e convocar sua gente a fazer o mesmo, erigindo um arraial que viabilizasse um bem-viver aqui e a salvação no além.

O "Brasil inclemente" não voltou um milímetro atrás na sua capacidade de inventar inclemências sobre o outro Brasil, o de baixo. E não perde noites de sono ao verificar os malfeitos daí derivados: concebe outras. E arranja outros bodes expiatórios. O encarcerado político nas masmorras de uma gélida capital no sul do país evidencia-se como o mais recente, entre assombros internos e externos e gargalhadas de hiena das representações atuais da já referida linhagem, em meio aos mais estapafúrdios atos jurídicos em claras perversões do sistema de justiça.

E quem está a denunciar tanto a lógica fabricadora de vítimas, que delas necessita incessantemente, como a perversidade que a tem eternizado, aquela que proclama a inviabilidade até mesmo de se pensar que outro mundo seja possível?

Ele, de dentro da masmorra. Ele, Lula, o "cidadão de Canudos". Do Canudos, do Belo Monte que é o Brasil.

III

Efetivamente, à guisa de conclusão, "nunca antes na história deste país" houve o intento – e o experimento – em escala nacional de se reconfigurarem, a partir do exercício do poder mais alto, as relações entre o "Brasil oficial" e o "Brasil real"; de denunciar o "espírito" que as vem sustentando faz meio milênio; de apontar – e tratar de efetivar – novos modos de sociabilidade, mais generosos e solidários; de anunciar que outra lógica, que não a do bode expiatório, é possível. Quem o proclamava, em alto e bom som, sabia do que estava falando. E continua a fazê-lo.

Espiritualidade do Lula
Pai nosso — pão nosso!

Dom Angélico Sândalo Bernardino[1]

Jesus, o Filho de Deus, carpinteiro de Nazaré, é o "caminho, verdade, vida" para todos os seus discípulos, discípulas, através dos séculos.

A síntese da pregação de Jesus sobre o Reino de Deus reside nisto: Deus é PAI, todos na imensa diversidade da humanidade, somos IRMÃOS e, portanto, devemos abraçar o mandamento: "amai-vos uns aos outros como eu vos tenho amado".

Em consequência de sua pregação, Jesus foi perseguido, caluniado, preso, torturado e condenado à morte, pelo tríplice poder reinante: religioso, político e econômico. O PAI o ressuscitou e Ele enviou seus apóstolos, discípulos, discípulas, pelo mundo todo com a missão de anunciarem, testemunharem, sua mensagem de vida e libertação.

A espiritualidade cristã, no seguimento de Jesus, deve ter dupla característica: relacionamento vivo, de amor, na oração, contemplação, com o PAI, por Jesus, no vigor do Espírito Santo. O primeiro mandamento é o prioritário. O segundo "amor ao próximo" é a prova concreta de que amamos a Deus que é nosso PAI. O apóstolo São João nos adverte em sua primeira Carta: "Quem diz que ama a Deus que não vê, mas não ama ao próximo que vê, é mentiroso".

---

[1] Dom Angélico Sândalo Bernardino é bispo emérito de Blumenau (SC); foi bispo-auxiliar de Dom Paulo Evaristo Arns, em São Paulo.

Solicitado por seus discípulos para que os ensinasse a rezar, Jesus lhes disse: "Quando rezarem digam PAI NOSSO e PÃO NOSSO!

Diante de sistemas injustos — como o do capitalismo liberal, que concentra a riqueza, os bens que o PAI destinou a toda humanidade, nas mãos de poucos à custa da exploração, empobrecimento de multidões — os autênticos discípulos de Jesus Cristo não se omitem. Não podem ficar de braços cruzados. Firmados nos gestos e ensinamentos de Jesus, somos convidados a nos darmos as mãos, a nos organizarmos em movimentos populares, comunidades, como fizemos nos anos de chumbo da ditadura militar, lutando pacificamente por liberdade, direitos fundamentais, economia solidária. Não faltarão pessoas equivocadas, desconhecedoras da Doutrina Social da Igreja, mal-intencionadas e instrumentadoras da Bíblia que, usando do nome de Deus em vão, nos acusarão de comunistas, esquerdistas. Não o somos.

(A bem da verdade, eu, por exemplo, nunca me filiei a partido político, nem instrumentalizei partidariamente atos religiosos).

O mártir São Dom Oscar Romero, de quem fui o direto sucessor como Bispo titular de Tambae (Roma), dizia, diante das perseguições que sofria: "Em um país de injustiças, se a Igreja não for perseguida é porque está sendo conivente com a injustiça".

No Brasil, multidões estão desempregadas, passam fome, não têm moradia, saúde, educação, transporte... Mas, nesta realidade, há também muita gente se organizando, lutando por justiça, fraternidade.

Meu irmão e amigo, Luís Inácio Lula da Silva, é uma destas pessoas! Conheço-o, faz muito tempo. Ele, nas lutas em defesa dos metalúrgicos em São Bernardo do Campo; eu, como Bispo da Pastoral Operária em São Paulo.

Ao longo dos anos, como Bispo em São Paulo e Blumenau, tenho acompanhado a caminhada deste católico discípulo missionário de Jesus em sua militância no campo da política partidária e vida familiar. No âmbito da família de Lula, batizei seu neto João, na Catedral de Blumenau, e sua bisneta Analua, em São Bernardo; rezei a missa do sétimo dia da morte de seu neto Artur em Santo André e marquei presença nos sofrimento, morte e velório de sua amada esposa Marisa Letícia.

Posso testemunhar que Lula, no decorrer dos anos, e agora, preso político, em sua espiritualidade, tem sido fiel discípulo de Jesus: persevera na vida de oração, contemplação, sendo incansável militante com fome e sede de justiça.

Em sua espiritualidade militante, privilegia os pobres e injustiçados, incentivando homens e mulheres de boa vontade à resistência popular organizada, para a construção da paz no Brasil, como fruto da justiça, solidariedade, diálogo, amor.

Lula, em sua espiritualidade, abraça com determinada determinação a recomendação do grande arcebispo de São Paulo, Dom Paulo Evaristo Arns que, diante de incompreensões, perseguições, nos anos da ditadura militar, com firmeza permanente dizia: "Coragem! Vamos avante, de esperança em esperança, na esperança sempre!".

Genealogia da Espiritualidade Do Nosso Presidente Lula da Silva

Sérgio Fernandes Aleixo[1]

"Bom dia. Boa tarde. Boa noite, presidente Lula!" Vocalização do respeito, do reconhecimento, da saudade, da indignação, da resistência à injustiça e, sobretudo, do amor, da coragem e da esperança de milhões. Feito Paulo de Tarso, o nosso presidente Lula da Silva escreve suas epístolas consoladoras em pleno cativeiro. Grande homem numa dimensão mais que humana porque, agora, para além da histórica, esse retirante nordestino que se tornou líder sindical e o maior chefe do Executivo nacional brasileiro, adentra a glória mítica já em vida. Esse Luís Inácio se tornou uma encarnação dos magnos ideais de soberania, cidadania, solidariedade e cooperação, centelhas divinas no âmago do que ainda se busca, à luz mortiça de insistentes fachos, a clamar: civilização!

Com a força dos corpos e almas que a si atraem as injustiças do mundo, o nosso presidente Lula da Silva, sequestrado do imperialismo estadunidense no solo mesmo de nossa pátria, que não lhe foi nem mãe nem gentil, paradoxalmente, deixa assim exposto, em velório público, o cadáver das misérias humanas institucionalizadas num sistema repressor de toda bondade que seja exponencial, de toda alegria que não seja tola e tenha por causa única a incorruptível satisfação de comungar da felicidade alheia, mesmo ao custo do mais precioso dos bens: nosso tempo.

---

[1] Graduado e licenciado em língua e literaturas de língua portuguesa pelas faculdades de Letras e de Educação da Universidade Federal do Rio de Janeiro. Secretário, redator e revisor em assessoria jurídica (1996/2008). Radialista (1990/2003). Escritor e palestrante kardecista. Poeta desde sempre.

Todos os livros religiosos do mundo poderiam estar perdidos se as bem-aventuranças do cristianismo estivessem salvas. Quem o disse foi um hindu chamado Gandhi, que tinha por alcunha mahatma: grande alma. E sim, cada minuto desse guerreiro do povo brasileiro, primeiro de milhões de Lulas da Silva, tem-se escoado numa eleição, numa escolha, política por natureza, ungida com o sangue de Jesus Cristo, filho de Deus, em seu programa revolucionário: honrados os pobres! os humildes! os pacificadores! os sequiosos de justiça! pois herdarão a Terra, isto é, o Reino de Deus nela instalado!

O mesmo livro sagrado que, lido sob o guante dos augúrios vingadores de almas atordoadas pela frustração e pela vingança, pôde e pode ser causa involuntária de tanta dor e sofrimento, diz-nos que Deus é amor, que só o amor cobre a multidão dos pecados e que a fé sem obras está morta em si mesma; que haverá últimos que serão primeiros e que o que for feito, ou não for feito, a um pequenino, estará sendo feito, ou não sendo feito, ao próprio Jesus Cristo.

Esta é a genealogia da espiritualidade do crente católico apostólico romano Luís Inácio Lula da Silva; da espiritualidade de todo religioso sincero ao redor da mãe Terra, mesmo dos ateus que ardem numa transcendência inadmitida; mas indisfarçável na sua empatia manifesta por todos os despossuídos e oprimidos do mundo. Aquele que fé tiver, ainda que do tamanho diminuto de um grão de mostarda, transportará montanhas, segundo a tradição cristã. Isso aplicado ao incansável, ao inquebrantável anseio por justiça, reporta-nos à natureza contínua dessa luta.

Por isso o nosso presidente Lula, mesmo aprisionado seu corpo, combate o bom combate do espírito. E firme permanece em seus valores e crenças. Idoso na cela de uma cidade húmida e fria, secundamos, é claro, o seu coração humano, declarando-lhe nosso amor, nossa fidelidade, nossa solidariedade; orando e lutando pela sua justa e merecida soltura e, *pari passu*, pela do próprio Brasil, que nela se vê metaforizada, coisa só possível a magnas personagens destinadas, como já disse, a glórias de imortalidade; a de Lula, ele mesmo expressou de modo ímpar, ao dizer, antes de se tornar refém num país cuja soberania foi com ele sequestrada, sob a falsa aparência de mandado de prisão num regime de evidente *lawfare*:

"Não adianta tentar evitar que eu ande por esse país, porque tem milhões e milhões de Lula, de Boulos, de Manuela, de Dilma Rousseff p'ra andar por mim. Não adianta tentar acabar com as minhas ideias. Elas já estão pairando no ar e não tem como prendê-las. Não adianta tentar parar o meu sonho, porque quando eu parar de sonhar, eu sonharei pela cabeça de vocês e pelo sono de vocês. Não adianta achar que tudo vai parar o dia que o Lula tiver um enfarte. É bobagem. Porque o meu coração baterá pelo coração de vocês, e são milhões de corações. Não adianta eles acharem que vão fazer que um dia eu pare. Eu não pararei porque eu não sou mais um ser humano. Eu sou uma ideia. Uma ideia misturada com a ideia de vocês. [...] Eu vou cumprir o mandado (de prisão). E vocês vão ter que se transformar, cada um de vocês, vocês não vão mais chamar Chiquinha, Joãozinho, Zezinho, Albertinho. Todos vocês daqui p'ra frente vão virar Lula e vão andar por esse país fazendo o que tem que fazer. E é todo dia. Eles tem que saber que a morte de um combatente não para a revolução. [...] Os poderosos podem matar uma, duas ou três rosas, mas jamais conseguirão deter a chegada da primavera. E a nossa luta é em busca da primavera."

Assim seja! Lula livre já!

Assalam Waleikum, presidente Lula!

Hajj Mangolin[1]

Nascer e viver no ABC Paulista significa nascer e viver sob a presença da trajetória de Lula. Comigo é assim. A primeira vez que ouvi falar dele foi durante as greves de 1978. Tinha oito anos de idade e a maioria dos pais das crianças de minha classe no Lopes Trovão ou da molecada que jogava bola no campinho do Botafogo, no Jardim Santa Maria, periferia de São Bernardo do Campo, trabalhava em indústrias metalúrgicas. Nessa época, meu pai era motorista de ônibus, mas anos antes havia trabalhado na Volkswagen e na antiga fábrica da Chrysler. Então, era impossível não ouvir falar da greve, da presença ostensiva e agressiva de tropas militares na cidade e, obviamente, de Lula.

Já me emocionei muitas vezes por causa desse retirante abusado, como diziam alguns parentes (pra ser educado). E também tenho nítida na memória a primeira vez que isso aconteceu. Era 1980, eu estava na quarta-série, e uma prática imposta pelo regime era a obrigatoriedade diária de formarmos filas das classes — meninos de um lado, meninas do outro, dos mais baixinhos para os altões, todos vestidos com aqueles jalecos brancos — para cantar o Hino Nacional e outras canções relacionadas a símbolos pátrios ou de apologia às Forças Armadas. Numa das manhãs de abril daquele ano, com a direção da escola e professores solenemente perfilados à frente das crianças para o hasteamento da bandeira, um garoto gritou: "Com Lula ou sem Lula, a greve continua". O desespero

---

[1] Hajj Mangolin é muçulmano e membro da coordenação nacional dos CIS –Comitês Islâmicos de Solidariedade.

do diretor e da vice, dona Cecília, uma senhora de descendência nipônica, com uma baita cara de brava, sinalizando desesperadamente para que não se falasse aquilo e tentando descobrir quem fora o novo abusado, gerou uma reação automática na criançada, que passou a repetir a mesma palavra de ordem que seus pais e mães bradavam pela Marechal Deodoro, na Praça da Matriz e no estádio da Vila Euclides. Era a resposta do povo à primeira prisão do companheiro presidente do Sindicato dos Metalúrgicos. Primeiro, ri muito com a estupefação dos professores, depois, minha voz foi embargando cada vez que repetia aquela frase e o nó na garganta foi incontrolável. Uma cena linda! Centenas de crianças repetindo um mantra da luta de classes, um desafio aos poderosos e uma afronta aos ditadores.

É este efeito místico, não mítico, que esse homem provoca até hoje em milhões de brasileiros, que enxergam nele um igual e, ao mesmo tempo, um líder, um porta-voz da esperança. Não reconhecer que nessa mística em torno da trajetória de Lula está presente a espiritualidade, e que nela há traços muito concretos das mais variadas religiões, só acontece em duas situações: para quem nunca viveu momentos como este — e que se repetiram para mim, 38 anos depois, naqueles dias em que cercamos o mesmo Sindicato dos Metalúrgicos na esperança de impedir a nova prisão do nosso companheiro — ou para quem deixou o ódio tomar conta do coração. E num coração assim, cheio de ódio, a espiritualidade não tem espaço. Ali, ainda que a pessoa se diga religiosa, há espaço apenas para o pragmatismo, o dogmatismo, o fundamentalismo e, por que não?, a idiotice.

É assim que podemos enxergar muito objetivamente traços inequívocos da tradição, da mística e dos princípios do Islam na trajetória de Lula. Sei muito bem que ele não é muçulmano, não é "santo" ou "messias". É simplesmente um homem, com suas imperfeições, como qualquer outro, mas com uma capacidade incomparável de organizar o povo, de dar-lhe esperança, de liderar e de enfrentar desafios que estão prescritos de maneira muito objetiva aos muçulmanos e às muçulmanas.

Explico.

O Islam não é apenas uma religião, é um modo de vida que inclui todos os aspectos sociais, econômicos, políticos, culturais, sejam eles individuais ou coletivos. Viver o Islam é ter a consciência de que ele vai além de um código religioso que diz respeito somente ao comportamento moral e ao estabelecimento das relações do homem com seu Senhor. Completamente antagônico ao neoliberalismo, o Islam prevê a construção de um Estado forte e de um governo baseado nos princípios de solidariedade, igualdade e justiça preconizados pelo Alcorão Sagrado e pela tradição deixada pelo Profeta Muhammad (que a paz e as bênçãos de Deus estejam sobre ele).

O Alcorão Sagrado, revelado ao nosso amado Profeta Muhammad (que a paz e as bênçãos de Deus estejam sobre ele), recitado em todas as orações e lido por muçulmanos e muçulmanas todos os dias, traz os regulamentos para a organização do Estado, dos assuntos de governo e da maneira como os governantes devem se comportar. Esta ampla abrangência está determinada na 6ª Surata, versículo 38, onde Deus, o Todo-Poderoso, foi justo ao dizer:

"(...) Nada omitimos no Livro".

Oras! O Alcorão não foi revelado para ser recitado e colocado de lado, e sim para ser recitado e posto em prática! Esta foi a atitude, por exemplo, de Omar Ibn Al Khattab (que Deus esteja satisfeito com ele), que governou de maneira justa e tecnicamente em perfeita sintonia com o previsto no Livro Sagrado. Omar foi o segundo Califa, sucessor do Profeta Muhammad (que a paz e as bênçãos de Deus estejam sobre ele). Ao tomar posse, falou aos muçulmanos e muçulmanas em Madina:

> "Vocês têm direitos sobre mim que deverão sempre ser reivindicados. Um desses direitos é o de que quem vier até mim para pedir deve sair satisfeito. Outro direito é que vocês devem exigir que eu não use injustamente as receitas do Estado. Também podem exigir que eu fortaleça as fronteiras e não os coloque em perigo. Também é seu direito que, ao saírem para a luta, eu cuide de suas famílias como um pai faria. Ó povo de Madina, permaneçam conscientes de Deus, perdoem minhas faltas e ajudem-me em minha tarefa. Orientem-me no bem e proíbam-me o mal. Aconselhem-me em relação às obrigações que Deus me impôs".

Certa vez, um egípcio fora enviado a Madina como espião por seus governantes, que temiam a força de Omar, e fez o seguinte relato:

> "Vi um povo que cultiva a humildade mais do que o orgulho. Ninguém tem ambição material, seu modo de viver é simples, seu líder é igual a eles. Não fazem distinção entre o superior e o inferior, entre senhor e escravo. Quando chega a hora da oração, ninguém fica para trás".

Omar (que Deus esteja satisfeito com ele) deu ao seu governo uma estrutura administrativa, criou departamentos do tesouro, do exército e das receitas públicas, estabeleceu salários regulares, fez um censo da população para estabelecer taxas corretas, fez pesquisa, promoveu a reforma agrária e estabeleceu aquela que, talvez, seja a mais exitosa experiência de distribuição da renda, aplicando corretamente o Zakat, tributo obrigatório a todos os muçulmanos, que uma vez por ano pagam 2,5% de seus lucros (não da renda). Este valor, ainda hoje, deve ser destinado aos muçulmanos mais pobres.

Impossível não perceber semelhanças nos princípios estabelecidos nos governos de Omar e de Lula, guardadas as devidas proporções históricas e de condições para execução do planejado. A busca pela igualdade, independente de raça, gênero ou opção religiosa (Omar foi intransigente na garantia dos direitos de cristãos e judeus, inclusive quando conquistou, pacificamente, Jerusalém), o fortalecimento do Estado e sua disponibilização à garantia dos direitos dos mais pobres, o investimento em educação e numa nova forma de organização social.

As semelhanças também estão no ódio despertado entre aqueles que não aceitam a construção dessa nova sociedade de igualdades e de verdadeira justiça. Omar foi assassinado por um fundamentalista de outra religião, que se sentia ameaçado com as propostas de seu governo e com a expansão do Islam. Lula é perseguido, condenado e ameaçado por representar exatamente a esperança de ascensão aos humildes, como Omar promoveu. E o Alcorão Sagrado diz:

"A perseguição é pior que o homicídio" (2, 217).

Nisso também enxergamos a presença islâmica na espiritualidade de Lula. O Alcorão estabelece ao muçulmano a obrigação de esforçar-se na causa de Deus e de jamais abdicar da luta e prevê perseguições como resultado desse esforço. Na Sura 94, Deus (Louvado e Adorado Seja) diz:

> "Acaso não expandimos o teu peito, aliviamos o fardo que feria tuas costas e enaltecemos tua reputação? Em verdade, com a adversidade está a facilidade. Certamente, com a adversidade está a facilidade! Assim, pois, quando estiveres livre, continua o teu esforço e volta para o teu Senhor a atenção".

E o versículo 286 da 2ª Sura, diz:

> "Allah não impõe a nenhuma alma uma carga superior às suas forças".

Como não imaginar, se você realmente crê em Deus e em Sua Revelação, que Lula é uma pessoa excepcionalmente dotada de força espiritual, pois quem mais suportaria tal carga? Perseguições, injustiças, conluio para uma condenação política, perda de entes queridos, como sua esposa, seu irmão e seu netinho, ameaças constantes à sua vida e à sua família...

Encarcerado injustamente, Lula vê seu legado sendo destruído por aqueles que conspiraram para condená-lo e impedi-lo de voltar a governar nosso país. Ele próprio já disse que esta é a pior carga que sua alma carrega: estar impedido de fazer o que melhor sabe, liderar, enquanto seu povo é submetido ao retrocesso, ao obscurantismo, à miséria. Aquele que prometeu dedicar seu governo a garantir que todos os brasileiros tivessem ao menos o direito de fazer três refeições ao dia, assiste, entre as grades da injustiça, a seu povo passando fome. Aquele que se dedicou à construção de um futuro pujante, vê a educação ser atacada, o patrimônio do povo ser entregue, os crimes de lesa-pátria se perpetuarem. Lula, que dirigiu o maior período de acúmulo de forças para que a classe trabalhadora disputasse o poder de fato, é impedido de agir enquanto seus algozes constroem um evidente *apartheid* social, que levará milhões de seus pobres à morte, seja pela violência do Estado, pela ação do crime organizado ou pela fome.

Mas, como cremos que nenhuma alma carrega um fardo superior ao que pode suportar, acreditamos também na promessa de justiça. Aqueles que perderam o medo e a vergonha e promoveram este golpe começam a ser desmascarados e expostos como o que realmente são: inimigos do povo. Suas máscaras começam a cair muito mais rápido que muitos de nós poderíamos imaginar. É sobre este inimigo do povo que Deus diz no Alcorão:

> "Viste se ele nega a verdade e a desdenha? Ignora ele, acaso, que Allah o observa? Qual! Se não se contiver, agarrá-lo-emos pelo topete, topete de mentiras e pecados. Que chamem então seus conselheiros; chamaremos os guardiões do inferno!" (96, 13-18).

O tempo da virada se aproxima e cabe a nós construir as condições para que ele aconteça. Mais uma vez recorrendo à Sagrada

Escritura, "Deus não muda as condições de um povo até que ele próprio mude suas condições". É nossa tarefa, enquanto militantes da vida, organizar o povo para que ele mude esta condição de injustiça e miséria.

Desta forma, certamente, nosso companheiro Lula será liberto e estará pronto para nos liderar, mais uma vez, na construção da verdadeira justiça e no processo de organização e de acúmulo de forças para a libertação final da classe trabalhadora.

É com esta certeza que digo, sem medo de ser feliz, Assalam Waleikum (que a paz esteja com você), eterno presidente Lula!

A Espiritualidade de um Líder

Pai Caetano de Oxóssi[1]

Não há dúvida que a existência do ser humano é muito mais que a soma de seus átomos. A espiritualidade impulsiona o ser a ir além da matéria, ir além daquilo que é palpável. Falar sobre espiritualidade nos faz pensar e repensar se entendemos o que é sermos espíritos. E sobre a grande força motriz da alma, o amor.

Quando buscamos a espiritualidade, quando nos iniciamos nos mais diversos campos da vida espiritual, seguindo ou não uma religião, estamos na verdade buscando por razões para a nossa existência, razões para a existência do mundo e do universo.

Buscamos fazer parte de algo maior, que não um amontoado de descasos, encontros, desencontros. Queremos encontrar a razão primária, motivos para o nosso sofrimento, caminhos para a nossa felicidade. Aliás, a própria felicidade é um termo verdadeiramente espiritual.

Não há espiritualidade sem autoconhecimento, sem um desenvolver análises e reflexões sobre quem somos, e o que somos. Sempre tendo como fundo a incessante e universal busca pela felicidade. Mas não em uma visão egocêntrica, e sim em uma visão holística que sempre nos faz compreender que devemos integrar o bem-estar de cada ser em harmonia com o todo, respeitando as divergên-

---

[1] Pai Caetano de Oxóssi, babalorixá de Umbanda desde 2005, médium atuantedesde 1986, é dirigente espiritual da União dos Terreiros Caboclo Mata Virgem - UTUMV, associação de casas consagradas por suas mãos, que hoje congrega casas de Umbanda em Curitiba e região Metropolitana, em Morretes - PR, em Londrina - PR e em Fortaleza - CE. É dirigente e fundador do Terreiro de Umbanda Luz, Amor e Paz - TULAP, Cabana do Pai Tobias de Guiné.

cias, compreendendo que ninguém ganha verdadeiramente nada com alguém sendo injustiçado, maltratado ou abandonado.

Haverá espiritualidades em filosofias, em teologias, em outras ciências, em muitas artes, mas é a espiritualidade condição precípua de toda alma que faz o bem. Pode-se estudar a espiritualidade por décadas, mas não haverá de ser espiritualista se não conseguir praticar algo desse estudo, não há como ser espiritualista sem entregar aos demais seres parte da sapiência, da luz, dos insights alcançados.

Entre tantas escrituras, palavras sagradas, salta à mente o capítulo 13 do livro primeiro aos Coríntios, em que Paulo de Tarso, o apóstolo dos Gentios, nos convida a uma reflexão profunda sobre o cristianismo e sobre a espiritualidade de uma forma geral. Diz o apóstolo convertido em Damasco que sem o exercício do amor, nem mesmo a fé que remove montanhas serve para algo. Mesmo que falássemos as línguas angelicais, sem amor nada seríamos ou poderíamos ser.

Ao revisitar esta linda passagem paulina, me recordo de um conto oriental sobre o Buda da Compaixão (Avalokiteshvara): afirmam os antigos que querendo encontrar Avalokiteshvara um monge passou anos em meditação profunda, isolou-se por décadas em uma caverna. Cansado, após todos esses anos, crendo estar fadado a não encontrar o Buda da Compaixão, sai da caverna derrotado. No caminho do monastério encontra um animal se contorcendo de dor. Abaixa-se e vê que ele estava cravejado de vermes, que corroíam seu corpo ainda vivo. Tenta tirar os seres repugnantes com as unhas, com gravetos, mas é impossível. O animal continuava seu tormento. Percebe que se os mordesse, conseguiria livrar aquele ser do sofrimento. Um a um o monge tira com seus dentes, vencendo o nojo em nome da compaixão. Ao chegar ao último verme, o animal se ilumina e se transforma em Avalokiteshvara, que diz: agora você me encontrou.

Dessa forma percebemos que nas mais diversas crenças encontraremos no amor, na compaixão, na empatia verdadeira a grande porta para a espiritualidade. Não nos deixando dúvidas que sem este atributo de caráter nunca seremos espiritualistas. Há certo ar de que só somos algo no coletivo, de que é preciso trabalhar para todos serem felizes e não para apenas alguns. Somos uma grande família, reflitamos na forma africana de pensar a vida chamada UBUNTU, filosofia praticada e que inspira nosso templo de fé. UBUNTU, forma de viver e entender o mundo de tal forma que só seremos se juntos formos, só chegaremos ao destino se junto estivermos. A compreensão que só há vitória quando a comunidade ganha, e não quando alguns vencem.

Não há outra forma de expressar os ensinamentos de nossos ancestrais trazidos nas palavras do preto-velho, do caboclo, espíritos de nossos antepassados que apesar do sofrimento, da perseguição e da escravidão mantêm contato conosco nos estimulando a sermos cada dia seres mais pacíficos e plenos de caridade e amor.

Almas essas que poderiam ter ficado presas ao genocídio de seus povos, mas optaram por nos amar e nos ensinar dizendo que não há vencedores, e nem derrotados. Na vida devemos buscar a vitória, vitória esta de todos, pois se alguém continuar a sofrer ninguém consegue ser feliz de verdade.

Ponderando sobre essas histórias, refletindo sobre como isso norteia o que pensamos sobre espiritualidade. Buscando nessas experiências inspiração, para escrever esse texto, para falar da espiritualidade do presidente Lula. E definindo espiritualidade na forma umbandista de pensar, veio a chave. A chave está no que ele, Lula, intitula a sua vida. No que esse pernambucano brasileiro define como sua missão. Missão esta que mesmo diante das sombras da perseguição e da injustiça, ainda perdura, e move seu ânimo e seus sonhos.

Lula é antes um homem comprometido com os brasileiros, com o ser humano, um ser que não se acomoda diante do sofrimento alheio, alguém que percebeu que coisas simples, cotidianas, faltavam a parcela significativa do povo brasileiro. Sonhou em proporcionar três refeições diárias, sonhou em dar a milhões de brasileiros a chance de estudar, de cursar um ensino superior, de serem atendidos por médicos, em terem escola, energia elétrica, em serem brasileiros. Sonhou e realizou.

Galgou a presidência e fez do cargo máximo um ofício para erradicar a fome, para cumprir aqueles sonhos de um Brasil para Todos. E muito fez. Seu coração se enchia de júbilo ao ser tocado pelas multidões, ao abraçar os mais simples, ao olhar nos olhos dos mais necessitados sabendo que lutava e que luta por eles.

Talvez essa seja a maior espiritualidade de Lula, incansavelmente buscar dar aos esquecidos oportunidade de ser alguém, de serem brasileiros. Mesmo agora, diante de uma prisão que cada dia fica mais evidente ser injusta e tirana, diz a quem o visita que a coisa que o faz ter mais ânimo é querer retirar muitos brasileiros da linha da pobreza, é garantir cidadania a milhões de brasileiros.

O presidente Lula dizia a mim que não tinha o direito de chorar ou de se lamentar, pois estava em condição melhor que muitos brasileiros que como ele sofriam injustiças, mas que sequer tinham amparo de alguém, pois não havia quem olhasse por eles. E por isso dedicava suas forças para sair daquele espaço injusto, para que ganhasse liberdade e pudesse lutar para que os brasileiros voltassem a ter um caminho de dignidade, de comida: de vida.

Ao chegar pela primeira vez à cela da Polícia Federal em Curitiba, levava comigo um presente, dado por um dos espíritos que guiam nossa casa espiritual. Era a imagem, em estatueta de gesso, do Orixá Xangô, que representa a Justiça de Deus. Ao cumprimentar Lula, disse-lhe que trazia Xangô, e afirmei a ele que era um presente de um espírito chefe de nossa casa, um afro-brasileiro, filho de escravos, e que dedicava sua vida espiritual à liberdade. Esse guia disse a mim para dizer ao presidente Lula:

"Leve Xangô, pois tudo que o senhor quer é a verdade."

Ele segurou a imagem, beijou e me disse:

"Tudo o que mais quero, tudo que eu rezo diariamente é para isso, apenas que a verdade apareça."

Conversamos por mais vezes, sempre na busca de levar alento, conforto espiritual a quem sofre a injustiça. Mas sempre saí com mais lições que pude entregar. A espiritualidade está no caráter e nos gestos da vida. Na forma que construímos nossa jornada no planeta, em nossa empatia, em nossa capacidade de amar, de querer verdadeiramente fazer outros seres encontrarem paz e alento. Em compreender as diferenças, em dar voz aos menos favorecidos.

Numa das visitas me disse: não posso me cansar, nem desanimar, enquanto houver injustiça, nosso silêncio será aplauso para os abusadores. Não podemos nos curvar diante da opressão, pois muitos irão sofrer se desistirmos.

A espiritualidade é teimosia em buscar a verdade sempre. Como nos disse o Mestre Jesus: "Buscai a verdade e a verdade vos libertará." Buscar a verdade é algo que não se faz sem ação, sem uma força de vontade e uma perseverança descomunal. É a teimosia de não desistir, é a capacidade de sempre pensar no coletivo, de amar os mais necessitados, de dedicar a vida, os pensamentos e a própria razão de viver num mundo melhor e mais justo. De fazer sacrifícios para que outros possam gozar de uma vida melhor.

Esse é o ensinamento maior de um preto-velho em um terreiro, resistir, resistir amando e trabalhando para o bem do próximo.

Para mim, Lula é de uma espiritualidade ímpar, enxerga o socorro na escuridão das estatísticas, o grito dos necessitados no silêncio de um palácio, a esperança em meio às sombras de uma cela. Crê na liberdade, na diversidade, e nas muitas formas de encontrarmos Deus.

Espiritualizemos todos nós na busca incansável por estarmos todos ao lado dos justos, daqueles que querem que o amor vença. Que os antepassados, os ancestrais, os Orixás, possam guiar nosso Brasil, e carregar de axé Luiz Inácio Lula da Silva, para que mantenha sua fé. Fé que nos dá a certeza que todos os brasileiros são merecedores de amor.

Saravá, axé.

Uma Surpresa

Frei Carlos Mesters[1]

Deus é a maior surpresa. Surpreende sempre. Aos que dizem: "Senhor, Senhor, não foi em teu nome que profetizamos? Não foi em teu nome que expulsamos demônios? Não foi em teu nome que fizemos tantos milagres!" Ele responde: "Jamais conheci vocês. Afastem-se de mim, malfeitores!" (Mt 7,22-23) O profeta Elias esperava poder encontrar Deus no trovão, no terremoto e na tempestade, mas Deus já não estava no trovão, nem no terremoto, nem na tempestade, e apareceu numa brisa leve apenas perceptível, onde ninguém esperava encontrá-lo (1Rs 19,11-13). Grande surpresa!

A maior surpresa vai ser no Juízo Final. Muitas pessoas vão ouvir de Deus estas palavras: "Vinde, benditos do meu Pai, porque eu estava com fome e vocês me deram de comer!" (Mt 25,35) Alguns deles vão dizer a Deus: "Desculpe, mas eu não me lembro de ter dado um pedaço de pão para o Senhor poder matar sua fome". E Deus vai dizer: "Foi quando você ajudou aquele mendigo que te pediu um copo de leite e você foi até à sua casa e voltou com um pedaço de pão e um copo de plástico cheio de leite. Lembra? Pois aquele jovem pobre, sentado ao lado da porta da igreja, era eu!" (cf. Mt 25,34-40)

Lula também entrou na fila e quando chegou a vez dele, Deus disse: "Vem, bendito do meu Pai. Entre no Reino, porque tive fome

---

[1] Frei Carlos Mesters é frade carmelita holandês, missionário no Brasil desde 1949. Desenvolveu um método de leitura-interpretação bíblica assentado na experiência e cotidiano dos mais pobres do país.

e você me deu de comer". E Lula disse: "Não lembro de ter dado um pão para o Senhor! Para dizer a verdade, eu nem era muito de igreja e nem conhecia bem o Senhor!" Jesus disse: "Lula, foi aquela vez que você ajudou aqueles vinte milhões de brasileiros miseráveis sair da miséria e ter uma vida melhor e mais humana. Lembra? Eram eu! Não esqueço não!"

E Deus acrescentou para Lula e para todos nós: Eu garanto a vocês: todas as vezes que vocês fizeram isso a um dos menores de meus irmãos, foi a mim que o fizeram" (Mt 25,40).

Foto: Ricardo Stuckert

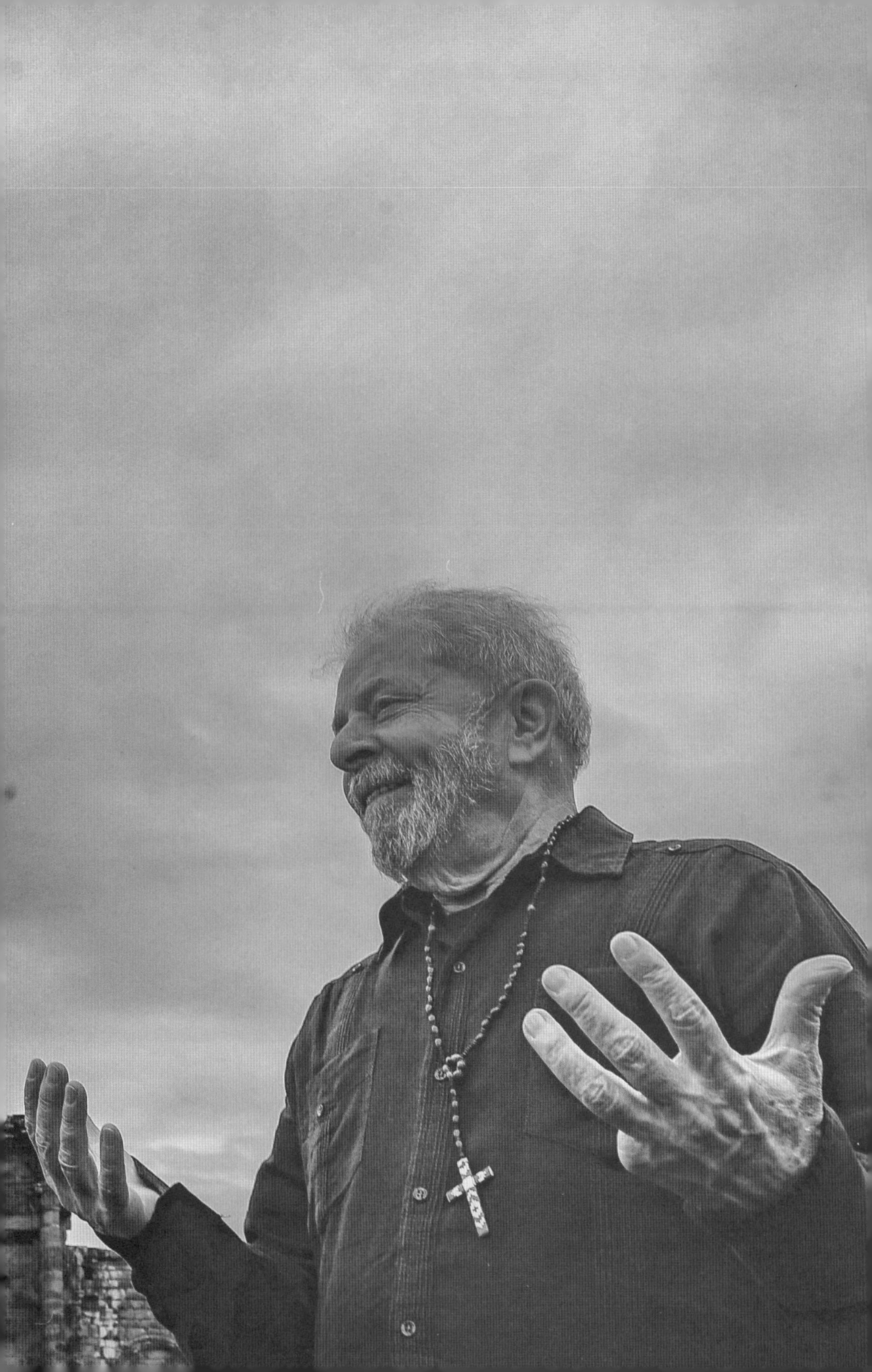

Lula, o Homem Sem Direitos

Entrevista de Frei Betto a Mauro Lopes[1]

Em 29 de janeiro de 2019 Frei Betto concedeu-me uma entrevista sobre a espiritualidade de Lula. Os dois são amigos há 40 anos, desde 1980, e o frade dominicano foi nesses anos todos uma referência de espiritualidade da família Silva.

A conversa, por escrito, foi transmitida no programa Paz e Bem do dia seguinte, um dia depois de a juíza Carolina Lebbos negar a Lula um direito que lhe é garantido por lei, o de ir ao enterro do irmão Vavá que morrera na véspera. Nem na ditadura esse direito lhe foi negado. Em 12 de maio de 1980, encarcerado no Dops, em São Paulo, Lula foi liberado para ir ao enterro da mãe, dona Lindu.

Na conversa, Frei Betto fala sobre a espiritualidade de Lula ao longo dos anos e agora e como ele e Marisa Letícia viveram uma espiritualidade de casal e família.

Conversamos sobre a espiritualidade de Lula, o homem sem direitos do Brasil pós-golpe, do regime que esmagou a Constituição de 1988 e respira morte e neofascismo.

Carlos Alberto Libânio Christo, o Frei Betto, aos 74 anos, é um dos principais líderes espirituais do Brasil. Escritor prolífico, dois de seus livros são conhecidos mundialmente, "Batismo de Sangue" e "Fidel e a Religião". Ficou preso duas vezes durante a ditadura, a segunda por quatro anos (1969-73). É um nome fundamental na Teologia da Libertação na América Latina.

---

1 Carlos Alberto Libânio Christo, Frei Betto, é frade dominicano, escritor, duas vezes premiado com o Jabuti (1985, com "Batismo de Sangue" e 2005, com "Típicos Tipos - perfis literários"). Foi um dos líderes da Teologia da Libertação no país e exerceu um papel decisivo no diálogo entre igreja Católica e Fidel Castro.

Conheceu Lula em São Bernardo em 1980, e tornaram-se grandes amigos. Há 40 anos caminham juntos.

A entrevista foi feita um dia antes que fosse negado a Lula o direito de ir ao enterro de Vavá. Mas a imagem de Frei Betto é forte, precisa: "apertam cada vez mais as algemas de Lula".

Você conheceu Lula em São Bernardo, na virada dos anos 1970-1980, quando atuava na Pastoral Operária, logo depois de deixar Vitória, onde atuou nas Comunidades Eclesiais de Base numa favela da cidade. Como foi o encontro das espiritualidades de Lula e Betto em 1980?

Desde o segundo semestre de 1979 iniciei a assessoria à Pastoral Operária do ABC, nomeado por Dom Cláudio Hummes. Porém, só fui encontrar Lula pela primeira vez em janeiro de 1980, em João Monlevade (MG), na posse de um sindicalista. Ele então me convidou a ir a casa dele. Na visita, percebi que ele e Marisa eram católicos, sendo que ela havia tido formação familiar e paroquial de muita devoção, e ele, uma religiosidade menos devocional. Mas tinha por hábito orar antes das refeições. Não posso dizer que houve propriamente um "encontro de espiritualidades". Sempre fui avesso ao proselitismo religioso. Portanto, pouco falamos de nossas experiências de fé.

Lula é um homem de fé?

Sim, de muita fé, de quem sente forte presença de Deus na vida dele. Na última visita que fiz a ele na prisão, dia 17 de dezembro passado, levei a eucaristia para celebrarmos o Natal.

Como era a relação de Lula com as Comunidades Eclesiais de Base?

Ele nunca pertenceu a nenhum movimento pastoral. Mas como as CEBs foram responsáveis pela capilaridade nacional do PT, como ele mesmo admite, os contatos com elas se sucederam com muita frequência. Em algumas regiões do Brasil era comum a coincidência entre núcleo do PT e CEBs. Certa ocasião, no interior do Maranhão, ao visitar um núcleo petista, a reunião teve início com uma senhora puxando uma oração. O dirigente que acompanhava Lula alertou-a não caber oração em uma reunião partidária. Ela retrucou: "Como não? Aqui todos são petistas e todos militam na pastoral".

Qual foi de fato a relevância das CEBs para a formação do PT?

O PT resulta de quatro vertentes: CEBs, sindicalismo combativo, militantes de esquerda remanescentes da luta contra a ditadura e intelectuais. Porém, das quatro eram as CEBs que tinham mais capilaridade no território nacional, da periferia de São Paulo aos grotões amazônicos. Muitas figuras que tiveram liderança no PT vieram das CEBs, como Luiza Erundina, Marina Silva, Vicentinho, Olívio Dutra e Paulo Paim, entre outros.

Como era a espiritualidade de Marisa Letícia?

Marisa, se bem me lembro, tinha sido Filha de Maria na juventude. Tanto ela quanto Lula sempre gostaram de celebrações litúrgicas e fizeram questão de batizar e casar os filhos na Igreja. Mas nunca conversei com ela a ponto de saber como orava etc.

Como a espiritualidade de ambos Marisa e Lula interagia?

Os valores evangélicos estavam arraigados neles. Participavam ativamente quando eu fazia celebrações na intimidade familiar. Passamos muitos natais juntos e sempre fizeram questão de celebrar como festa religiosa. E jamais deixaram de comparecer à Missa do Trabalhador, celebrada todo primeiro de maio, na Matriz de São Bernardo do Campo, por iniciativa da Pastoral Operária.

Você participou do primeiro governo Lula, como assessor dele e no Fome Zero. Como você avalia sua experiência?

A minha experiência está avaliada em dois livros editados pela Rocco: "A mosca azul – reflexão sobre o poder" e "Calendário do Poder", meu diário de dois anos de trabalho no Planalto. Foi uma experiência positiva, sobretudo por se tratar de um programa voltado a erradicar a miséria e superar a fome dos mais pobres. Contudo, no meio do caminho o governo decidiu substituir um programa de caráter emancipatório, o Fome Zero, por outro, bom, mas de caráter compensatório, o Bolsa Família. Como discordei da mudança, voltei a ser um feliz ING – Indivíduo Não Governamental. E como assessor da Presidência aprendi que o poder não muda ninguém, faz com que a pessoa se revele.

Como a questão da espiritualidade colocava-se para Lula quando presidente?

Para Lula os direitos dos mais pobres é o que importa, considerando que, na infância, ele conheceu a miséria. Nesse sentido, ele sempre teve forte espiritualidade de "opção pelos pobres". E nas datas litúrgicas importantes, como Páscoa e Natal, pedia que eu promovesse uma celebração para os funcionários do Planalto. E ele e Marisa sempre participavam.

Lula recebeu religiosos, religiosas, lideranças espirituais de diversos caminhos na cadeia. Você esteve com ele também. Como está a jornada espiritual de Lula neste momento. Como se dá a interação dele com lideranças de tantos caminhos?

Ele sempre foi aberto ao diálogo inter-religioso e nunca teve preconceito contra qualquer manifestação religiosa. Em suas campanhas presidenciais várias vezes participei de Comitês Religiosos que congregavam lideranças de várias crenças. E as visitas na prisão (fiz duas) tinham um amplo leque de profissões religiosas. Infelizmente a juíza Lebbos proibiu, agora em janeiro, visitas religiosas toda segunda-feira. Agora é apenas uma vez ao mês. Ou seja, apertam cada vez mais as algemas de Lula.

Como você avalia essa recente decisão da juíza Carolina Lebbos de restringir as visitas de lideranças religiosas a Lula?

É uma medida draconiana de quem legisla com o fígado. Mas não tem como ela impedir que Lula continue a ser a maior liderança popular de nosso país.

Uma Espiritualidade Voltada Para o Outro

Pastor Fábio Bezerril Cardoso[1]

Quando penso na espiritualidade do Lula, um texto vem à minha mente: Mateus 5:10, que se encontra nas bem-aventuranças. Para nós, povo evangélico, os textos constitutivos da Bíblia se quadram para orientar a espiritualidade do cristão e para, assim, gerar os caminhos para o "bom viver" dentro daquilo que Deus deseja para seus filhos.

Em Mateus 5:10 encontramos o texto que aponta que: *"Bem-aventurados (são), os que sofrem perseguição por causa da justiça, porque deles é o Reino dos Céus"* (Mateus 5:10). Costumo dizer que este texto é a constituição apresentada por Jesus a este Reino que Ele veio trazer. A expressão "bem-aventurado" no grego (μακάριος – Makários) tem alguns significados, dentre eles o que mais se aplica é "felizes e abençoados" e é neste contexto que me apego para escrever este texto e falar da espiritualidade do Ex-Presidente Luiz Inácio Lula da Silva, que neste momento em que escrevo ainda se encontra encarcerado por almejar justiça.

Lula é um bem-aventurado, pois no seu governo combateu a fome e a exclusão, que por muito tempo atrapalharam o desenvolvimento do povo brasileiro, formando um grande abismo social no país.

O Governo Lula, por meio do projeto Fome Zero, passou a dar mais dignidade para 40 milhões de pessoas que até então viviam ameaçadas pela fome, pois não tinham o que comer e viviam à margem da sociedade. Isso me faz lembrar de um outro texto bí-

---

[1] Pastor, cientista social, ativista social e Cofundador & Coordenador da *Escola Comum*.

blico que se encontra também no livro de Mateus, no capítulo 25, versículo 35, no qual Jesus, apontando a quem competia entrar no seu Reino, diz: *"Porque tive fome, e destes-me de comer; tive sede, e destes-me de beber, era estrangeiro, e hospedastes-me"[...]*. Este texto é interessante porque os discípulos perguntam para o Mestre quando fizeram isso a ele e Jesus responde no versículo 40: *[...] "Em verdade vos digo que quando o fizeste a algum destes meus irmãos a mim o fizeste"*. Não tenho dúvida, como pastor, que a militância do cristão tem que ser estabelecida no campo social. Lula, quando Presidente, combateu nesta frente e a sua espiritualidade se revela na ação que vai ao encontro do outro, preparando o caminho para a erradicação da fome e combatendo as desigualdades sociais com políticas que efetivamente tiveram melhorias sobre a vida dos mais vulneráveis.

Com isso, entendo que o ex-Presidente, como Cristão que é, beneficiou muitos dos que Jesus denomina como *"os pequeninos"*. O anseio dos que caminham ao lado de Jesus tem que ser por igualdade, não existe a possibilidade de o cristão viver uma espiritualidade esvaziada de ação prática e ser conformado com a situação de um país com uma sociedade injusta, pois a Bíblia está cheia de exemplos que apontam em direção ao outro.

Em Atos 2:42-47, por exemplo, a Igreja do primeiro século vive de forma radical. Após a conversão, muitos vendiam as suas propriedades e repartiam com a comunidade o dinheiro adquirido com a venda. Isso é interessante, pois o texto diz que todos faziam as refeições diárias juntos, com alegria de coração e tinham tudo em COMUM, a palavra usada lá era koinonia (κοινωνία), que no seu significado mais amplo quer dizer "ter tudo em comum", ou seja, um cristão não pode estar bem enquanto existam desigualdades sociais, tão menos quando existem irmãos que passam fome. Por este e muitos motivos defendo os dois mandatos do Governo

Lula, pois o mesmo combateu as desigualdades, apresentando políticas públicas que se adequaram aos objetivos de desenvolvimento sustentável, as ODS's indicadas pela ONU, que têm como objetivo diminuir até 2030 as desigualdades sociais em muitos países.

Em 2014, o Brasil registrou um percentual de 3% de pessoas que ingeriam calorias abaixo do necessário para sobreviverem. Isso é uma vitória e temos que dar a honra a quem merece, aos dois primeiros mandatos do governo Lula, pois este foi um dos principais focos do seu governo que tinha como promessa de campanha, erradicar a fome no país.

Além do combate à fome, esse governo também combateu as desigualdades sociais, não só com o Bolsa Família, que deu a muitos brasileiros dignidade, tirando-os da margem da sociedade e reinserindo-os novamente na economia, assim como na educação. Parafraseando o Ex-Presidente, *"nunca antes na história deste país"* vimos tantos jovens de escolas públicas conseguirem ter acesso ao ensino superior de qualidade e público. O aumento das vagas nas universidades públicas e a sua entrada pelo ENEM trouxe pessoas que até então não viam neste um caminho possível, pois para quem vive por aqui sabe que, no Brasil, estudar em Universidade Pública era privilégio para ricos, invertendo-se a ordem, pois os filhos dos pobres tinham que ir para as Universidades privadas, alargando ainda mais o tal abismo social. O governo Lula mudou essa realidade ao abrir as portas das Universidades Públicas para esses jovens. Por um instante sentimos o que seria viver num país menos desigual, pois ao mesmo tempo em que o filho do rico passava na faculdade através do ENEM, o filho do pobre também tinha a mesma oportunidade. Víamos que caminhávamos para a concretização de um sonho, em que pobres e ricos teriam a mesma oportunidade.

Neste exato momento em que escrevo, Lula está preso, perseguido por almejar um país menos desigual. Mas o que mais me surpreende é que, mesmo passando por tamanho sofrimento, não perdeu a ternura e tão menos o ânimo de trabalhar por um mundo melhor, demonstrando que a sua espiritualidade se mantém viva, principalmente quando afirma que não acumula mágoas de ninguém, demonstrando que é um verdadeiro discípulo de Cristo, que pede para que *[...], não resistais ao homem mau; mas a qualquer que te dá na face direita, volta-lhe também a outra; (Mateus 5:38-39).* Por isso tem demonstrado uma espiritualidade madura e voltada para o que aponta a Bíblia, mantendo-se no aguardo de que a justiça prevalesça, mas na certeza que as misericórdias de Deus o alcançarão, pois que o seu sofrimento é ocasionado justamente por seu posicionamento em prol dos pequeninos.

A Deus toda Glória, sempre. E que sempre a Justiça prevaleça.

Lula-Livre!

A Espiritualidade Saudável de Lula Como Antídoto ao Fanatismo

Dora Incontri[1]
Carla Pavão[2]

Em tempos de retrocessos fundamentalistas, importante é falar sobre a espiritualidade saudável. O fundamentalismo é um aliado do fanatismo e usa o nome de Deus para gerar violência, intolerância e morte. O fundamentalismo é excludente do outro. Incitou as cruzadas, a inquisição e toda forma de repressão dos melhores impulsos humanos. A espiritualidade elevada, verdadeira, brota de um Francisco de Assis, de um Gandhi, de um Eurípedes Barsanulfo, de um Martim Luther King, de um Papa Francisco.

Com o fundamentalista não há diálogo, porque o deus que ele prega é um deus que escolhe alguns e excomunga outros, que não acolhe as diferenças, que impõe regras rígidas, desrespeitando a liberdade humana. Já a espiritualidade saudável, autêntica, profunda é a que sempre enxerga em qualquer outro um irmão. É a que sente Deus como pura misericórdia e supremo amor. Este amor divino sempre respeita a liberdade humana, pois assim Deus criou o homem e a mulher, livres e donos de uma consciência autônoma. Toda manifestação religiosa que pretenda amordaçar a consciência e que use estruturas hierárquicas para inibir, coagir e

---

[1] Jornalista, escritora, doutora em Educação pela USP. Coordenadora da Associação Brasileira de Pedagogia Espírita e da Universidade Livre Pampédia.

[2] Jornalista, pós-graduada em meio ambiente pela FGV e Psicologia para não psicólogos pelo ISPA de Lisboa e aluna da Pós-Graduação em Pedagogia Espírita da Universidade Livre Pampédia. É membro do Cejus.

aterrorizar os fiéis, está em flagrante desrespeito ao amor acolhedor e misericordioso de Deus.

Por tudo isto, às vezes, é mais fácil que pessoas de uma determinada herança espiritual, que compreendem uma espiritualidade positiva, se relacionem com pessoas de outras tradições, que tenham a mesma compreensão. Mais fácil um católico, um espírita, um protestante, ou um muçulmano abertos ao divino, se relacionarem entre si do que se relacionarem com pessoas de suas próprias tradições, que estejam fechadas num dogmatismo intolerante. Mais fácil mesmo dialogarmos com um ateu humanista do que com religioso fanático.

Por isso, não há estranheza que uma espírita fale da espiritualidade de um católico. Este católico em foco é Lula, o ex-presidente e, atualmente, encarcerado em Curitiba. Primeiro, é preciso dizer que um exemplo interessante que podemos seguir da tradição protestante tradicional é que jamais grandes homens e mulheres de seu meio são por eles idolatrados, e com isso não perdem sua dimensão humana. Leia-se qualquer biografia sobre Lutero, escrita por um protestante, e este não terá pejo nenhum em citar seus defeitos ao lado da exaltação da sua grandeza. Já entre católicos e espíritas, existe sempre uma tendência de se fazer uma hagiografia em torno de suas lideranças e, com isto, os bons, os grandes, acabam por se distanciar do nosso alcance. São mitificados e escapam da medida da sua humanidade.

Assim, quando falamos de Lula, guardamos conscientemente a sua dimensão inteiramente humana, portanto imperfeita. Entretanto, sua condição de injustiçado, de sedento de uma reparação histórica que mais dia, menos dia, lhe será feita, nos coloca na trilha para compreender uma forma de espiritualidade saudável.

Pelo que podemos ver e sentir, mesmo à distância, a espiritualidade cristã de Lula está sendo um dos grandes sustentáculos seus diante de todas as desumanas provações por que está passando. E, sobretudo, está servindo de antídoto contra o ódio. A vítima de uma injustiça se engrandece quando não se deixa tomar pelo desejo de vingança e retaliação, embora a justa indignação seja compreensível e até desejável. Não nos deixarmos tomar pelo ódio é não nos igualarmos a quem nos odeia. O injustiçado que procura vencer o mal com o bem, apesar da natural dificuldade humana para isto, deixa o algoz na condição incômoda de inferioridade moral.

Vivemos no Brasil, um momento de grave ascensão dos intolerantes, dos fanáticos, daqueles que usam e abusam do nome de Deus para discriminar, perseguir, apoiar a tortura e trair todas as noções de civilidade e respeito ao próximo. E, neste cenário, a figura de um preso político, que continua dialogando com a nação, sem perder a dignidade, o bom humor e a capacidade de amar é um refrigério para os corações sensíveis.

Aqui não estamos aprovando ou desaprovando toda a carreira política de Lula, que tem suas virtudes e seus defeitos. Não estamos fazendo qualquer tipo de apologia partidária, mas apenas tocando a dimensão humana e espiritual deste líder de milhões de brasileiros, que contrasta tanto com aqueles que tomaram de assalto o Brasil, para esquartejá-lo e entregá-lo como nova colônia a potências estrangeiras.

Para o espiritismo de Kardec, todo sofrimento tem um significado pedagógico. Extrair de uma situação trágica o aprendizado que nos transforma e nos eleva é a melhor maneira de encararmos a dor que pode nos abater, transcendendo-a e fazendo dela, um motivo de evolução individual e coletiva.

A atitude de Lula na prisão, estudando, meditando, orando, mantendo a mente ativa e o coração forte, demonstra que seu aprendizado, diante da injustiça, está sendo real. Evidentemente, ninguém está capacitado a avaliar plenamente o outro, captando todas as dimensões do que se passa no seu psiquismo, no seu corpo e no seu espírito. Podemos supor através de uma percepção empática. Podemos observar através da escuta de suas palavras e podemos concluir que, até agora, a enorme injustiça que se abateu sobre Lula o tem engrandecido aos olhos mesmo daqueles que nunca foram seus seguidores políticos.

A esperança que nos move, a todos que estamos lúcidos para perceber o quadro trágico instalado no Brasil, é que o Deus de amor, de paz, de perdão vença no coração dos brasileiros, o deuzinho machista, racista, homofóbico, irado, vingativo que está disseminado na boca de tantos falsos religiosos. Que a justiça se restabeleça, que o amor e o respeito ao próximo cubram a multidão dos pecados daqueles que traem a noção de um Deus Pai, que Jesus nos trouxe. E que Lula continue fortalecido, espiritualmente nutrido na sua resistência pacífica, na sua resiliência nordestina, no seu patriotismo verdadeiro.

O consolo de todos aqueles que mantêm viva uma experiência espiritual autêntica é de que apesar de todas as mazelas humanas, há uma garantia do bem no universo. O fundamento divino da realidade, que captamos na essência de todos os seres, de toda vida e do infinito, nos dá a certeza de que um dia toda sede de justiça será satisfeita, todo desejo de paz será atendido e toda esperança de um mundo melhor será cumprida. A espiritualidade nos oferece um quê de otimismo, mesmo diante da pior tragédia, porque o ponto de vista humano só pode abarcar o breve momento histórico em que está mergulhado, mas a visão de eternidade que alcançamos em alguns momentos pela prece, pela introspecção, pela elevação do nosso espírito, nos oferece uma perspectiva de esperança permanente – sem jamais, é claro, abandonarmos a luta presente que nos compete.

A Opção Pelos Pobres e a Espiritualidade de Lula

Emerson Sbardelotti[1]

A primeira vez que vi o presidente Lula, foi no debate com Fernando Collor, em 1989. Eu já havia lido sobre aquele metalúrgico nos livros de História, que sem microfone e aparelhagem de som, fez um discurso envolvente para companheiros e companheiras durante as greves no ABC Paulista, que se espalharam pelo resto do país, entre as décadas de 1970-1980, em plena ditadura militar; e seu nome era lembrado nas reuniões do grupo de jovens que eu participava na CEB Nossa Senhora do Magnificat, na Paróquia Nossa Senhora da Conceição Aparecida, em Cobilândia, Vila Velha, Arquidiocese de Vitória do Espírito Santo. Minha identificação com Lula foi imediata, justamente por ser um trabalhador, que vinha do povo. De todas as canções que foram compostas para as campanhas para presidente, a única que nunca saiu da minha mente e do meu coração, foi a da campanha de 1989: *Lula Lá / Sem Medo de Ser Feliz* (Hilton Acioli)[2]:

---

[1] Doutorando e Mestre em Teologia pela Pontifícia Universidade Católica de São Paulo. Autor de Por uma Igreja dos Pobres: Teologia da Libertação. São Paulo: Fonte Editorial, 2019. Organizador com Ney de Souza de Puebla: Igreja na América Latina e no Caribe – Opção pelos Pobres, Libertação e Resistência. Petrópolis: Editora Vozes, 2019; Organizador, com Ney de Souza de Medellín, de: Memória, Profetismo e Esperança na América Latina. Petrópolis: Editora Vozes, 2018.

[2] Cf.:<http://memorialdademocracia.com.br/ajax_audio_extra_item/187>.

Lula lá, brilha uma estrela
Lula lá, cresce a esperança
Lula lá, o Brasil criança
Na alegria de se abraçar
Lula lá, com sinceridade
Lula lá, com toda certeza
Pra você meu primeiro voto
Pra fazer brilhar nossa estrela

Era o primeiro de muitos votos que eu daria a Lula, e sem medo de ser feliz. Estávamos saindo da ditadura militar, período difícil de nossa História, onde os crimes contra a Vida e os motivados por corrupção nunca foram devidamente apurados e seus executantes condenados e presos. Minha memória afetiva me traz a imagem de rezar a Deus pedindo força para Lula, para que ele aguentasse as difamações, as inverdades, as provocações, as mentiras a respeito de sua conduta e personalidade. Eu era um dos milhões de brasileiros que votamos em Lula naquele 1989, por duas vezes, esperançosos que a mudança era necessária, que a sociedade brasileira deveria passar por uma transformação profunda, onde não houvesse ricos, cada vez mais ricos e pobres, cada vez mais pobres. Hoje, rezo por Lula novamente.

A Opção pelos Pobres é uma expressão contemporânea, mas ela está no fundamento da Bíblia. A Bíblia parte da revelação de um Deus que opta por pessoas oprimidas, seja por seus iguais, seja por seus reis, seja pelos reis inimigos e mais poderosos. O Deus da Bíblia se revela pela primeira vez, como o Deus destes pobres específicos no livro do Êxodo: os camponeses e os trabalhadores das construções do Faraó do Egito. A opção do Deus da Bíblia é estrita: toma partido deles contra o opressor. No Êxodo, Deus se revela defensor dos pobres. Para entender e compreender a mensagem de Jesus de Nazaré basta apenas colocá-la no contexto em que viviam os pobres de sua época. Quem são estes pobres? São os economicamente fracos e sem posses de bem materiais. São os diaristas, aqueles trabalhadores não qualificados, bem numerosos cujas condições de vida eram na Palestina, mais precárias do que as dos escravos. São os pecadores. O conceito aqui deve ser entendido enquanto categoria social mais do que categoria ético-religiosa. São considerados pecadores todos aqueles que trabalhavam com transportes de mercadorias, lojistas, pastores, publicanos (os coletores de impostos nas províncias do Império Romano), ladrões e prostitutas. São os ignorantes, pois estes, devido a sua falta de cultura, não observavam as complicadas e numerosas leis judaicas. Por fim, acrescenta-se a esta lista os simples *(nepioi)*, os pequenos *(mikroi)*, os últimos *(eschatoi)*, os pequeninos *(elachystoi)*, as mulheres e os estrangeiros. Jesus de Nazaré via e sabia de todos estes seres humanos, irmãs e irmãos seus, e entendia que elas e eles consideravam a condição em que viviam como algo fatal. Esta condição estava ligada diretamente a uma predisposição às enfermidades físicas e psíquicas, por causa da frustração, por causa da ansiedade e principalmente por causa do complexo de culpa em que estavam obrigados a viver. É compreensível a expectativa e o entusiasmo com que aguardavam a chegada do messias. Ele os tiraria daquela situação. Pobres são os necessitados, aqueles que não possuem nem o necessário para viver. Aqueles que carecem de respeito por sua dignidade como pessoa humana; aqueles que estão privados da liberdade; aqueles que não possuem participação alguma no desenrolar da sociedade nos campos da economia, da política, da religião, da cultura. A Opção pelos Pobres nunca foi uma moda passageira, nem é hoje em dia. Ela é a base da Teologia da Libertação, é o que a resume, pois é a opção radical feita por Jesus de Nazaré. Jesus escolheu os pobres enquanto seguidores, colaboradores mais próximos, discípulos, amigos. Quanto mais se aprofunda na teologia do pobre, mais se aprofunda na Palavra de Deus, mais aparecem novos fundamentos e realidades que falam da veracidade da opção pelos pobres em seu triplo sentido: pastoral, teológico e bíblico. A opção pelos pobres é a essência de um cristianismo católico que pretende ser fiel ao Evangelho. Consiste na decisão voluntária de unir-se ao mundo dos pobres, assumindo com postura e estética evangélica, com realismo histórico, a causa da libertação integral. Ela deve ser realizada por todos aqueles que creem, independentemente da sua situação socioeconômica (SBARDELOTTI, 2018, p. 143; 145-146; 154-155)[3].

Espiritualidade é viver pelo Espírito com esperança. A palavra *espiritualidade* tem sua raiz na palavra *espírito*: *"Então YHWH modelou o ser humano com a argila do solo, insuflou em suas narinas um hálito de vida e o ser humano se tornou um ser vivente" (Gn 2,7)*. Ser vivente corresponde ao vocábulo *nefesh*, que designa o ser animado por um sopro vital – manifestado também pelo *espírito* = *a ruah (hebr.: sopro, vento – brisa, ventania)*: *"Ele lhes disse de novo: 'A paz esteja convosco! Como o Pai me enviou, também eu vos envio'. Dizendo isso, soprou sobre eles e lhe disse: 'Recebei o Espírito Santo'" (Jo 20,21-22)*.

Sempre recordo as palavras de Sua Santidade, o Dalai-Lama, que disse a Leonardo Boff: *"Espiritualidade é aquilo que faz no ser humano uma mudança interior"*. É aquilo que transforma nosso ser, leva-nos a transformar a sociedade. Se não o faz, não é espiritualidade, é espírito de porco! Entrar em contato com Deus é conhecer as suas ações no meio dos povos que compõem o seu povo escolhido.

---

[3] SBARDELOTTI, Emerson. A Opção pelos Pobres na Poesia de Patativa do Assaré. São Paulo: Fonte Editorial, 2018.

Espiritualidade da libertação é sem dúvida a libertação da espiritualidade. Ela é um viés da espiritualidade de Jesus de Nazaré, que fez a opção radical pelos pobres, solidarizando-se com eles, amando-os em profundidade, portanto, libertando-os das prisões (religiosas, sociais, econômicas e políticas) que não os deixavam ser seres humanos. A espiritualidade da libertação se constrói a partir da leitura que se faz da realidade em períodos da história, em termos de utopia e de práxis para realizá-la. Ela é uma voz que chama a pessoa para realizar-se enquanto sujeito, mediante o compromisso firmado na transformação histórica de libertação, inspirada no projeto de Deus, manifestada nas causas de Jesus, as quais, no entardecer de nossos dias, se tornam nossas causas para o dia seguinte. Mesmo que esta espiritualidade não esteja na mídia, que não se fale nela, engana-se quem pensa que ela não supõe um diálogo profundo com a atualidade, reinterpretando a religião e produzindo insegurança e desestabilização, tornando-se uma peça de discórdia e de conflito na engrenagem do sistema neoliberal vigente. Essa hegemonia neoliberal, que também está presente na Igreja, coloca todos os ventos contrários aos que defendem o Reino de Deus, entendido como Opção pelos Pobres. A espiritualidade é caracterizada por alteridade e comunidade de fé. É a raiz profunda de nossa força. É beber do próprio poço! A espiritualidade, se não estiver inserida na caminhada de libertação do povo e, ao mesmo tempo, fincada na tradição bíblica e eclesial, nada será, não terá nenhuma importância. A espiritualidade é uma teimosa esperança, uma fé ardente, um amor inflamado que vai na direção da contemplação da compaixão e do cuidado.

Lula tem experimentado tudo isso! Lula tem experimentado a espiritualidade na solidão de sua cela, auscultando as batidas dos corações que, em sintonia, se unem ao seu coração. E de sua prisão política nos ensina que desistir não é a solução. Quando deixar para trás o cárcere, será um homem novo, fortalecido pelos dias de contemplação no Transcendente, ouvindo o povo brasileiro, que não o abandona, dizer: *Bom dia, Presidente Lula. Boa tarde, Presidente Lula. Boa noite, Presidente Lula.* E precisamente: *Lula Livre... Lula Livre... Lula Livre!*

Descer da Cruz os Crucificados

Pastor Cláudio de Oliveira Ribeiro[1]

Como pastor evangélico, sempre procurei aprender com as pessoas que enfrentam adversidades na vida. Em quase quatro décadas de trabalho pastoral, vi pessoas enfermas, em fase terminal, vivenciarem esperança e determinação, presenciei enlutados cantarem hinos com fé e segurança, gente vivendo na extrema pobreza mas compartilhando os seus dons e os poucos bens que possuía, corações destroçados pelo abandono, depressão, traições ou desafetos que não seguiam rancorosos pela vida afora, mas respiravam o gosto de sobreviver, e pessoas cerceadas da liberdade, mas mantendo-se firmes nos seus projetos e horizontes utópicos.

Assim, fui e vou "aprendendo e ensinando uma nova canção", como nos ensinara Geraldo Vandré. Ou, sigo "chorando com os que choram e se alegrando com os que se alegram", como diz o Evangelho. Sabemos que, pela luz da Bíblia, "quem com lágrimas semeia com júbilo ceifará".

Todas essas palavras e lembranças me vieram à mente quando estive no Acampamento Lula Livre, em Curitiba, em 2018. Amigos padres, pastores, pastoras e outras lideranças religiosas, lá estiveram com o presidente Lula. Eu, assim como milhares de sonhadores e defensores da justiça e da paz, estava ali ao lado, e senti uma

---

[1] Pastor metodista, trabalhou durante 20 na Baixada Fluminense (RJ), onde acumulou experiência ecumênica e de assessoria a movimentos sociais populares. É assessor das Comunidades Eclesiais de Base e de grupos ecumênicos. Trabalha com questões da relação entre teologia e cultura, com aspectos do pluralismo religioso e com temas teológicos contemporâneos.

forte presença. Era a de Deus e, com ela, também a presença de um número enorme de pessoas que exemplificam a descrição que fiz acima, e, indubitavelmente, a de Lula, por sua "estranha mania de ter fé na vida", como encanta Milton Nascimento.

"Lula Livre", dentro ou fora do local onde injustamente o colocaram detido, é sinal de ressurreição. Avivar a liberdade do Presidente, nas mentes e corações, como expressão da justiça, é tarefa coletiva necessária. Para isso, é como na canção "O sal da terra", de Beto Guedes: "... vamos precisar de todo mundo, pra banir do mundo a opressão, para construir a vida nova, vamos precisar de muito amor".

A mensagem da ressurreição de Jesus, o Cristo, que anunciamos na Páscoa, não pode ficar confinada ao passado, mas emerge com força no presente como canal de esperança, de justiça e de paz para todas as pessoas, especialmente as que hoje vivem crucificadas.

A ressurreição de Jesus é motivo de alegria, embora esteja ligada à crueldade da vida daquele que foi eliminado com pena de morte. Não podemos nos esquecer disso! Mataram Jesus. Ele foi assassinado pelos militares. Houve um complô, com julgamento seletivo e iníquo, feito às pressas e com um objetivo claro: prender Jesus, mesmo sem provas. Até parece coisas dos nossos dias... "Convicções" cruéis em torno daquele que havia feito o bem, havia pregado a justiça, havia incentivado a paz, proposto a liberdade para que as pessoas escolhessem os seus caminhos, reestabelecido a dignidade de muita gente curando-as de suas enfermidades, trazendo-as de volta à vida social. Jesus havia valorizado os pequeninos e os pobres, porque entendia que deles é o reino de Deus, esteve ao lado das viúvas, dos estrangeiros e de todos os que choram, porque necessitam ser consolados.

A vida de Jesus foi o seu atestado de morte: aos olhos dos mais fortes, ele amou quem não deveria... os humilhados de Israel, mulheres tidas como pecadoras, doentes que atrapalhavam a pureza dos religiosos, pobres que mostravam como a vida é injusta, crianças ao invés de poderosos, desvalidos sem fim, pessoas de outras religiões. Ah... Como todos estes pobres sofredores ficaram felizes com a notícia de que Jesus não estava morto! E até soldados que o martirizaram também se alegraram, pois Jesus, que havia morrido pelos seus pecados (ou seja, pelos pecados que eles cometeram contra o justo), agora vingava, pela ressurreição, todos os atos cruéis deles. Uma possibilidade de nova vida se abria...

Lembro-me de uma sexta-feira santa, sob o céu nublado, após termos lembrado na noite anterior da atitude radical de Jesus de lavar os pés de seus discípulos, quando tivemos a recordação do assassinato dele feito martírio pelo dom divino da liberdade. Autodoação da vida que faz descer da cruz os crucificados de hoje (os que moram nas ruas, os que estão nas prisões, os que são perseguidos por terem promovido a justiça, os que sofrem agressões preconceituosas e outros tantos que encaram a dor e o sofrimento). Trata-se da antiga e conhecida expressão: "descer da cruz os crucificados".

Lula Livre: Companheiro de Luta e Amigo de Caminhada

Por Cesar Kuzma[1]

Companheiros, amigos!

Trazer em poucas palavras uma contribuição sobre a espiritualidade do Presidente Lula é para mim motivo de grande privilégio, mas de responsabilidade imensa. Uma honra! Bem verdade, o que eu realmente gostaria seria de poder oferecer estas palavras e esta reflexão em outro tempo e em outra realidade, com Lula livre, perto dos seus e no peregrinar por este país e no abraçar de pessoas que ele cuidou, amou e quis bem. Gostaria de dar nele um abraço, se fosse possível, mas, estando distante, me sinto abraçado por aqueles que podem tocar em suas mãos, olhar em seus olhos e assim se aproximar de seus braços, tendo dele a sensação de um pai que acolhe e protege seus filhos e dá a eles a força da vida. No entanto, situações diversas nos colocam neste contexto, um contexto difícil, pesado. Nestas horas, nas grandes tribulações e nas noites escuras, como dizem os místicos, é quando nossa humanidade é testada, nossa fé é questionada e é neste instante, no mais profundo da nossa existência, que a verdade aparece, e ela nos faz livres. Lula Livre!

Lula livre não é apenas a frase que mobiliza sonhos pelo mundo afora, e que mantém viva a esperança de muitos que ainda persistem e resistem, vigilantes. Lula livre é uma ideia que penetra

---

[1] Doutor em Teologia e professor da PUC-Rio. Presidente da SOTER (Sociedade de Teologia e Ciências da Religião, no Brasil). Atuante nas causas humanas e sociais. Casado com Larissa e pai de Julia e Daniel.

no mais profundo do nosso ser, lá onde a consciência nos toca e onde repousa a verdade. Apesar das prisões que nos cercam e das mentiras que nos aprisionam, a liberdade será sempre uma experiência de vida, e essa não se pode prender. Assim disse o Papa Francisco em uma carta dirigida a Lula: a verdade vencerá a mentira. A liberdade é o pulsar, é o animar, ela é o grito que ecoa e que ninguém pode calar. Lula livre é a ideia semente que encontra abrigo no coração dos pobres e de todos aqueles que sofrem e estão excluídos, é o olhar do trabalhador e de quem vive a angústia da falta de trabalho. É o semblante da mãe à espera do filho, que muitas vezes não volta. É o suor do pai a caminho de casa, depois de um intenso dia de trabalho. Lula livre é o consolo e o protesto que nos faz conscientes, persistentes e resistentes, firmes na esperança, apesar de tudo.

Hoje tenho 42 anos de idade, sou casado com Larissa e temos dois filhos, Julia e Daniel, de 7 e 6 anos. Moramos no Rio de Janeiro e trabalhamos na universidade, mas seja pelo nosso trabalho, seja por aquilo que acreditamos e por aquilo que queremos passar aos nossos filhos, a visão que temos do Lula nos favorece e nos encoraja. Abre luz, ainda que na nossa frente tudo possa parecer trevas. Brota esperança, mesmo quando a terra que pisamos parece estar seca, e ousamos até sorrir, mesmo quando em nossos olhos parece só haver lágrimas. Isso é um pouco o que vivemos e um tanto do que sentimos quando tivemos que explicar aos nossos filhos a brutalidade que nos persegue e o difícil e espinhoso caminho da justiça, da verdadeira justiça, daquela que resgata quem está caído, que ampara o que sofre e que se apoia na verdade. Não é fácil, e é nestas horas que o modo de ser e de viver do Presidente Lula fortalece a nossa caminhada, pois compartilhamos a sua dor, o seu lamento, mas também da sua coragem e espiritualidade. De fato, ela nos alimenta.

Hoje, todos nós temos um olhar diferente para Lula, isto é, passamos a ter, devido a tudo o que está acontecendo. Vemos Lula prisioneiro, vemos Lula cerceado e impedido, Lula perseguido por causa da justiça. É de partir o coração. Aprendemos a olhá-lo diferentemente, sofrendo com ele os gritos de ódio e de ingratidão, buscando na ousadia descobrir coisas em sua vida que antes não podíamos ver, ou não conseguíamos. Às vezes, em situações como essas, onde tudo parece perdido, onde não há mais nada a esperar, é que algo inusitado aparece e é quando podemos nascer das cinzas e de cabeça erguida encarar a vida de frente. É preciso coragem para fazer isso e é preciso mais do que a nossa humanidade, é necessário abertura para aquele que é mais íntimo e que conhece a nós mais que nós mesmos. Não se trata de olhar a religiosidade de um homem, isso não diz muita coisa, e sim a espiritualidade que revela algo maior, que revela a força interior, que revela o quão humanos nós somos e quanto de sementes podemos deixar na história. A espiritualidade nos converte para a vida e nos impede de fugir dela. Ela nos dá um sentido, um horizonte que nos alimenta a fé e desperta a esperança.

Eu ainda não tive a graça de conhecer Lula pessoalmente, sou apenas mais um na multidão que o segue e que faz vigília pela sua liberdade. Mas escrever este artigo me fez recordar uma noite fria de 1992, quando pude ouvir e ver Lula de perto pela primeira vez, durante um comício na Boca Maldita, em Curitiba. Era a ocasião do impeachment do Collor e naquele instante pude me ver despertado para a cidadania e para a responsabilidade que aquela situação exigia. Suas palavras e a força de sua voz me aqueceram. Seu olhar me envolveu. Foi para ele que dei o meu primeiro voto e, desde então, partilho o desejo pela construção de uma nova sociedade, mais justa e mais fraterna, onde todos tenham vez, onde todos tenham voz e onde o respeito possa prevalecer. É difícil, mas é bom caminhar por este lado da história. Esta é a melhor herança que podemos deixar para nossos filhos. De lá para cá, passaram-se muitos anos e muitas transformações ocorreram em nosso país e muito se pôde ver do crescimento deste homem que orgulhosamente chamamos de presidente. Como muitos, chorei no seu último discurso em São Bernardo e me marcou para sempre a vontade do povo em abraçá--lo e a tentativa de cercar o portão e impedir a sua prisão. Quando muitos achavam que Lula estaria morto, ele se mostra ainda mais vivo, quando as forças dominantes insistem em prendê-lo, ele tem a sua consciência livre, quando parecemos perder a esperança, as suas palavras, o seu rosto e o seu olhar nos pedem paciência e nos dizem: um pouco mais, vamos em frente, estamos juntos, a luta continua, não desistam, companheiros. Sim, companheiros, esta é a expressão que quero trazer para a definição de sua espiritualidade, pois acho que é aquela que melhor define a sua relação com as pessoas e com todos aqueles que dele se fazem próximos: companheiros.

Lula é companheiro porque quis compartilhar o pão. Lula é companheiro porque compartilha a sua vida. Lula é companheiro porque compartilha a dignidade e oferece aos pobres um caminho de justiça. Lula é companheiro porque é perseguido, porque é caluniado, porque é insultado e é injustiçado. Lula é companheiro porque compartilha a dor de muitos. Lula é companheiro porque compartilha a esperança. Lula é companheiro porque, apesar de tudo, encontra graça em Deus e nele faz sua felicidade. Lula é companheiro porque é bem-aventurado, porque é perseguido por causa da justiça! Lula é companheiro porque é amado, porque vive a verdade, porque é livre! Lula Livre!

20 de agosto de 2019, na memória dos 500 dias da injusta prisão de Lula.
Força companheiro!
Força amigo!

Um Olhar Reverente a Lula

Reverendo Eduardo Henrique Alves da Silva[1]

O que poderia dizer um reverendo episcopal anglicano, nascido e criado em Pernambuco, de seu conterrâneo Lula? O que poderia dizer a respeito da espiritualidade, viva e profunda, do presidente Lula? O que poderia acrescentar para além do profético ministério do estadista Luiz Inácio Lula da Silva? Talvez, quem sabe, confesso, bem pouco... Creio que há pessoas mais próximas a ele, e por isso mais aptas, quem sabe, a sinceramente expressar com mais fidelidade o multiverso espiritual de Lula. Ou, talvez, como na música 'Romaria' de Renato Teixeira, eu devesse ter a humildade de 'não sabendo rezar' só querer mostrar "meu olhar, meu olhar, meu olhar..."

Sim, 'meu olhar' acontecido de vários fios, históricos e místicos, de uma caminhada que nasce, ainda aluno Marista e participante da campanha 'Votar é Arretado' da Pastoral da Juventude Estudantil (PJE), votar pela primeira vez em 1989 no Lula para presidente. Um olhar, com certeza, episcopal / anglicano acontecido de poetas místicos, como John Donne ou George Herbert, tão 'meta físicos', povoados dessa 'mundanidade' tão nossa, mas não exclusiva do anglicanismo, que celebra a vida plena de saboroso cotidiano 'divino, pois demasiado humano'. Uma espiritualidade que jamais separa o verso da prosa, na proesia (quase uma proeza) em levar

---

[1] Reverendo da Igreja Episcopal Anglicana do Brasil (IEAB). Poeta, nascido em Recife (PE), no ano de 1971, tem sua obra marcada pela pluralidade de vozes e influências. Apaixonado pela cultura céltica publicou três livros de poesias: Claro Grifo (2009), Nove Novos Tryskeles (2011) e O Meditar das Árvores (2019).

a sério a encarnação do Verbo. Da mística prosaica, não menos poética, a ligar uma Evelyn Underhill e uma Juliana de Norwich; ou seja, uma leiga do século XX que palestrava sobre mística e espiritualidade para a Conferência de Lambeth, que reúne periodicamente bispos de toda a Comunhão Anglicana com o Arcebispo de Cantuária, e uma anacoreta do século XIV que amava sua 'Mãe Jesus' que nos alimenta com o precioso leite de Seus Seios a todas suas criaturas! Um olhar acontecido do 'Socialismo Cristão' do reverendo inglês Frederick Denison Maurice que pegou briga com as autoridades eclesiásticas vitorianas, pois defendia ao seu tempo a evangélica opção pelos pobres, diante dos infames pecados das classes ricas. Que dizia que toda a pobreza, miséria e opressão das classes trabalhadoras é ferida e escândalo no Corpo de Jesus! Como não reconhecer nesse dito um tanto da espiritualidade do Lula?

Tal é o foco de meu olhar sobre a espiritualidade de Lula: encarnado (nascido na carne e vermelho vivo) e vívido (animado e vivido) que parte das referências dos encontros e desencontros com a minha espiritualidade anglicana, e tão brasileira. Anglicanismo mestiço, negro, nipônico, originário, plural e inclusivo. Como Lula. Livre para pensar a partir de sua história, seus retalhos e fios que tecem uma imensa bandeira na qual nos re-conhecemos: humanos, demasiado humanos, pois divinos; vez que só sendo divino pode-se ser tão humano! Pele, pelos, lábios, sangue e ossos: corpo. Uma espiritualidade feita de tantos fios, laços e formas, como os labirintos tecidos por minhas avós paraibanas. Com a têmpera e o tempero de minhas avós negras e indígenas. Com fogueiras de São João, que aprendi a fazer com meu pai, e que em vez de destruir cria calor, luz e proximidade nas noites frias de junho.

O que mais dizer de meu olhar? Quem sabe qualquer coisa de mística celta... Murmúrio antigo de Druídas e Sacerdotisas da mítica Avalon ou da não menos mítica Glastonbury de José de Arimateia. Dessa mística, não menos encarnada, que se faz luta de todo um povo contra o Império Romano. Luta quase sempre inglória, mas necessária e fundamental. Passados séculos, o povo celta ainda fala... Espiritualidade feita da Terra, dessa pedra agreste entranhada na alma pernambucana, que se faz emoção e lágrima em suas Águas de tantos fluxos e refluxos, rios e oceanos mares. Pedra que se abre em flor quando chega a chuva do carinho e do amor, proximidade. Terra que se torna vendaval no Ar do tão sertão e movimenta e agita bandeiras de novos sonhos e esperanças. Um Fogo que transmuta injustiças históricas, ilumina caminhos, aquece a carn-alma da gente, seu povo. Como aquela paixão que aconteceu misteriosamente na festa da vitória em 2002, no Marco Zero do Recife, e uniu olhares e vidas.... E até hoje, Viviane e eu comemoramos todos os anos aquela data tão especial, para nós e para o Brasil.

Um Encontro na Véspera do Yom Kipur

Rabino Jayme Fucs Bar[1]

Kibbutz Nachshon, Israel.

Depois de um dia longo de trabalho, recebo uma mensagem do amigo Michel Gherman.

Michel: "Oi, Jayme, está por aí?"

Respondo que sim.

Michel: "Tenho uma pergunta".

Michel, sempre muito direto, bem no estilo dos israelenses, pergunta: "Você concordaria em visitar o Lula na prisão como rabino?"

Me surpreendo com a pergunta: "Como assim? Não há rabinos no Brasil que possam visitar o Lula na prisão?"

Michel: "Claro que há, mas todos têm medo de críticas".

De acordo com o meu conceito judaico monoteísta maximalista, o rabino tem o dever de procurar trazer luz e conforto espiritual a todos os necessitados, independentemente de quem sejam. Toda pessoa, em momentos de grande sofrimento, precisa de quem a escute sem a julgar, que somente ouça e profira palavras de conforto e esperança. Em suma, visitar um preso ou um desamparado é sempre a obrigação de um rabino.

---

[1] Jayme Fucs Bar é rabino secular Humanista. Brasileiro, vive em Israel no Kibbutz Nachshon.

Aceitei o convite, pois acredito que estaria ali representando uma grande massa de judias e judeus democráticos, humanistas e progressistas, que apoiam esse ato humanitário.

Não seria uma escolha, mas sim um dever.

"Michel, eu tô nessa!"

Peguei o avião para o Brasil no dia 16 de setembro de 2019 para me encontrar com o Lula na prisão no dia seguinte. Era véspera de Yom Kipur. E isso me levou a pensar muito no que chamamos de acaso ou coincidência e de como nada sabemos sobre os mistérios da vida e do mundo.

Lá vou eu para Curitiba me encontrar com o Lula, acompanhado de uma delegação de uns 35 judeus e judias de vários estados do Brasil e de diversas organizações sociais e vários segmentos partidários. Senti como se voltasse aos anos 70 quando ainda vivia no Brasil, era ativista do movimento estudantil no Rio de janeiro e pertencia a uma célula da organização DS (Democracia Socialista), que atuava na formação do Partido dos Trabalhadores.

Dos integrantes dessa delegação, eu conhecia somente a querida Patrícia Tiommo Tolmasquim, grande ativista pelos Direitos Humanos. Ficamos todos no lobby de um hotel e, de forma espontânea, fizemos um pequeno midrash (estudo da Torá), onde falamos da origem do Yom Kipur na Torá e do pecado do bezerro de ouro.

Chegamos juntos ao local marcado via transporte público. Lá fui recebido pela Polícia Federal e levado a uma sala especial. Após uma rápida vistoria e algumas informações básicas, fui conduzido a outra sala, de onde seria conduzido ao local em que estava o Lula. A vida é sempre uma caixinha de surpresas e aconteceu algo curioso. Um dos agentes da Polícia Federal me convidou até a sua sala, pediu para sentar-me e disse: "O senhor rabino vive num kibbutz, não é?" Estava claro que haviam feito um bom levantamento sobre mim, respondi: "Vivo num kibbutz desde que cheguei a Israel". Ele sorriu com certa intimidade e me confessou que antes de se formar em Direito, viveu num kibbutz por seis meses e que esse foi um dos melhores momentos de sua juventude. Falei que o mesmo acontecera comigo e que, por tal motivo, decidira morar em Israel. Ele confessou que desejaria um dia voltar lá com a mulher e os filhos. Apertamos as mãos como dois bons kibutzknikim e logo dois agentes vieram ao meu encontro. Subi uma escadaria até chegar à prisão onde o Lula estava.

Entrei e me apresentei: "Meu nome é Jayme Fucs Bar". Para quebrar a formalidade, rapidamente acrescentei: "Sou um rabino vermelho" e o abracei fortemente. "Este abraço não é somente meu, mas de milhões de brasileiros que apoiam e rezam por você".

Sei que vocês estão na maior curiosidade de saber o que se passou lá, mas é impossível relatar tudo nestas poucas linhas. Além disso, não posso falar dos assuntos mais pessoais. Na verdade, quase não falamos de política. Porém, posso dizer que falamos muito sobre os judeus e Israel. Lula expressou sua enorme admiração pelo estado de Israel e disse que essa admiração é bem anterior à sua época de presidente. Em suas duas visitas a Israel, uma como líder sindical e outra como presidente, dois locais ficaram até hoje marcados em sua memória. O kibbutz e o Museu do Holocausto Yad Vashem. Dos vários lugares que visitou no mundo, nada lhe parece mais comovente e arrepiante que o museu que conta a história do Holocausto. Para Lula, o mundo deveria estudar e conhecer a história do povo judeu e sua força de sobrevivência.

De forma bem descontraída, ele revelou: "Fico muito triste porque tem gente aí falando que eu não gosto de Israel nem dos judeus. Como podem dizer algo assim de mim? No museu da diáspora em Tel Aviv, descobri que tanto do lado de meu pai, da Silva, como do lado de minha mãe, Ferreira, tenho origem judaica". E para fortalecer sua afirmação, complementei: "E ainda por cima, você veio do interior de Pernambuco!"

Lula discorda do setor da esquerda que nega a existência de Israel. Ele me emocionou ao se expressar da mesma maneira que nós, judeus progressistas da esquerda sionista, nos expressamos: "Dois povos, dois países". Ou seja, um estado judeu ao lado de um estado palestino.

Lula demonstra uma grande mágoa pela demonização de sua imagem em relação a Israel e aos judeus. Ele me contou que nos momentos mais difíceis pelos quais passou no período sindical, em que foi perseguido, encontrou amparo, apoio e até mesmo refúgio com os judeus progressistas.

Contei a ele que estamos na véspera do feriado judaico de Yom Kipur, momento especial em que temos a oportunidade de parar e jejuar, a fim de refletir e pedir perdão a nós mesmos e aos que estão ao nosso redor. Citei uma frase do sábio Rambam (Maimônides): "O Yom Kipur é uma data de arrependimento para todos, para o indivíduo e para a comunidade. É o tempo do perdão para Israel" (acrescentei "e para o Brasil"). Todos devem se arrepender e confessar seus erros em Yom Kipur.

Parece que Lula entendeu minha mensagem e me fez uma confissão que considero importante relatar. Ele disse que ainda tem um sonho a realizar; sabe que fez muito pelo Brasil, mas que ainda não conseguiu cumprir totalmente o seu legado de dar ao povo humilde a dignidade merecida e o simples direito a educação, saúde e bem-estar social.

Foi então que ele abriu seu coração, exatamente como se deve fazer em Yom Kipur: "Com toda a experiência que acumulei em meus dois mandatos como presidente do Brasil, sei que devo e posso corrigir os erros do passado para poder cumprir o meu sonho de transformar o Brasil num país em que haja dignidade para todos.

A porta se abriu e me pediram educadamente para me despedir, pois o tempo da visita estava encerrado. Olhei para o ex-presidente, preso naquele lugar frio e cinzento, e me lembrei de Yakov que apelidou seu filho Yeuda de "Gur Aryeh" ou "jovem leão". Talvez Yakov soubesse ou pressentisse todos os obstáculos que seu filho venceria no futuro.

Abracei Lula mais uma vez e disse: "Lula, seu nome em hebraico é Arieh (Leão)". Ele obviamente não entendeu, mas já não havia mais tempo para explicações.

O mesmo agente da Polícia Federal da chegada me acompanhou até a saída. Logo fui recebido por muita gente munida de câmeras, filmadoras, bandeiras etc. Senti que eu teria que dizer algo. Não me lembro muito bem das minhas palavras, entretanto a frase que me ficou marcada desse encontro foi: "Lula é amigo dos judeus! Lula é amigo de Israel!"

O resto eu já esperava. Pedras e flores me foram lançadas. Até ameaças recebi. Das pedras, construí uma forte morada, e das flores, fiz um lindo jardim.

Como diziam os sábios do Talmude "O dia de hoje jamais acontecerá novamente, mas uma boa ação pode fazê-lo durar para sempre".

Nascentes De Água na Aridez do Caminho: Lula e a Espiritualidade da Delicadeza Amorosa

Monge Marcelo Barros[1]

Quem anda por algumas regiões do Brasil, ao passar em campos desmatados, sabe que é frequente, em meio à secura, encontrar um pedacinho de terra úmida. Pode ser sinal de que, ali, no meio da terra revolvida, jaz como escondida, embaixo de tudo, uma nascente de água cristalina que teima em não desaparecer. Essa é a imagem que me vem à mente quando vejo alguém trafegar nos meios políticos sem perder a simplicidade do coração e uma comunicação afetuosa que não é apenas fruto de demagogia política. Essa capacidade de comunicação afetuosa tem sua fonte em algo mais profundo. Todas as pessoas que, com o mínimo de sensibilidade humana, interagiram ou se relacionam com o presidente Lula sabem que ele é alguém cujo carisma de sintonia humana e de criar empatia em seus ouvintes vem de um espírito que nunca perdeu algo de sua primeira inocência.

Nas Igrejas, as pessoas tendem a idealizar a espiritualidade, assim como fazem com a santidade. Se dizemos que alguém é espiritual, parece que estamos afirmando que aquela pessoa é extraordinariamente santa e sem defeitos. Ora, essa concepção não seria real nem humana. Ao apresentar Lula como alguém que amadureceu em si mesmo um processo de espiritualidade, estamos apenas revelando um caminho por ele iniciado e em evolução. Estamos falando em estrada aberta e sendo percorrida, e não em ponto de

---

[1] Marcelo Barros é monge beneditino, teólogo ligado às bases dos movimentos sociais e assessor das comunidades eclesiais de base.

chegada concluído. No caminho, percorrido em comum, ao falar de um caminheiro, estamos supondo todos e todas que com ele fizeram e fazem a estrada. Nem precisamos afirmar o quanto Dona Lindu, mãe do presidente Lula, marcou sua vida e esse seu modo de ser (ele nos revela isso a cada momento). Mas poderíamos do mesmo modo falar de outras pessoas, como a saudosa Dona Marisa, companheiros de sindicato, de partido e amigos e amigas que Lula foi formando por todo o mundo. Ao falar do caminho e da energia espiritual que o anima, justamente ao contrário, é bonito ver como fragilidade e força se misturam. A espiritualidade não depende apenas das qualidades humanas. Mesmo nas limitações que toda pessoa tem, a opção da espiritualidade se coloca como vocação a ser permanentemente confirmada e aprofundada. Em seus livros, Leonardo Boff sempre tem dito que a Espiritualidade é uma dimensão antropológica de todo ser humano. No caso de Lula, essa qualidade de vida humanizada vai tomando a forma e o estilo de uma cristificação que nos inspira.

Desde que, nos anos 80, conheci Lula como deputado federal e, por meio dos amigos frei Betto e Gilberto Carvalho, em algumas ocasiões, tive oportunidade de me aproximar dele, sempre admirei o seu carisma de criar empatia. Pouco a pouco, descobri que o seu modo afetuoso de tratar a todos que dele se aproximam não é apenas a admirável capacidade política de líder popular. Expressa uma mística pessoal, que como uma espécie de autoterapia, transparece como vitalidade humana e afetiva.

Falar da espiritualidade de alguém é como desvendar a sua mais profunda intimidade. Por isso, me aproximo desse assunto como Moisés na sarça ardente que escutou de Deus a palavra: *"Tira as sandálias dos teus pés porque estás pisando em uma terra sagrada"* (Ex 3, 5). O que posso é dar o testemunho de que Lula sempre me passa a imagem de um homem que se deixa guiar pelo espírito de amor até o ponto que esse amor que ele expressa vai além de si mesmo e o arrebata além de si mesmo na direção do outro. Tentarei, mesmo com temor e tremor, descrever pobremente alguns elementos dessa espiritualidade que percebo em Lula.

A resistência do povo pobre como força espiritual

Todo mundo que acompanha a vida e a caminhada do presidente Lula sabe algo de sua história, desde quando, com sua mãe e seus muitos irmãos, veio do Nordeste em um caminhão pau-de-arara, até sua situação atual de preso político mais famoso de todo o mundo. É uma história de resistência e luta. No entanto, talvez um número menor de pessoas perceba que o maior milagre é como alguém que passou por tantas provações e enfrentou de cara a crueldade desse mundo desigual consegue manter-se inteiro, pleno de vivacidade e capaz de grande alegria interior e da imensa generosidade de sempre amar.

O padre José Comblin afirmava que, no Brasil, a vida do povo pobre é tão dura e difícil, a sobrevivência econômica e social exige tanto, que o próprio fato das pessoas manterem laços de família, relações de amizade e serem fiéis a essas relações já é verdadeiro milagre. Só mesmo uma ação especial de Deus, que acompanha o seu povo, pode tornar isso possível. É uma experiência quase estática, vivida quase imperceptivelmente no dia a dia da vida. Além disso, dispor-se a ir além da busca da própria sobrevivência e formar núcleos de amizade e convivência se constitui um caminho espiritual que ajuda as pessoas a serem sempre mais humanas e maduras. É o que fazem tantos companheiros e companheiras ao formar comunidades de base, ao participar de pastorais sociais como a Pastoral Operária (caso de Lula) ou mesmo simplesmente se interessar por sindicatos e partidos políticos. Tudo isso é manifestação forte do Espírito Santo".

Comblin afirma: "A luta pela vida é a questão mais abrangente e que melhor expressa a ação divina do Espírito Libertador no meio do povo. O próprio fato de sobreviver, sem se desestruturar interiormente já é um milagre". Muitas vezes acontece que pessoas que foram vítimas da pobreza injusta, assim que sobem na vida, querem apenas uma coisa: ter aquilo que nunca tiveram. Muitos até acham normal fazer com outros oprimidos o que, no passado, sofreram dos seus antigos opressores. Na vida cotidiana do povo, podemos contemplar a ação maravilhosa do Espírito, quando vemos pobres capazes de abrir suas vidas e partilhar o que têm e o que são com outros pobres. Em cada pessoa que, ao passar pela grande tribulação da pobreza injusta, sai inteira e é capaz de amar e se doar, há uma profunda espiritualidade laical que não precisa ser batizada como religiosa. É obra da energia divina que os cristãos chamam de Espírito Santo e que as comunidades afrodescendentes chamam de Axé, energia vital de amor e alegria. Nesse sentido, Lula é um homem de muito Axé, alguém que, por sua vida e resistência humana, manifesta ser alguém movido pelo Espírito.

A subversão revolucionária vem do Espírito de Deus

Parece estranho ver o Espírito Divino como fonte de subversão. Quase sempre, os grupos cristãos que se dizem "do Espírito" parecem mais ordeiros e conservadores do que grupos e movimentos revolucionários que não falam em espírito. No começo do século XX, as comunidades pentecostais surgiram em meio às Igrejas evangélicas norte-americanas, como movimento de negros e pobres. Era uma subversão diante dos costumes das Igrejas estabelecidas, que não davam voz aos pobres, aos leigos e às mulheres. E era uma subversão diante do mundo racista ao fazer negros e negras aprenderem a ler e terem direito a interpretar a Bíblia e tomarem a palavra nas assembleias. Mesmo no decorrer da sua história, muitos pentecostais continuaram no caminho da libertação, tanto no plano social e político, como no âmbito eclesial. Nos anos 60, quando o pastor Martin Luther King e seus companheiros e companheiras consolidaram o movimento pelos direitos civis nos Estados Unidos, a maioria era de comunidades pentecostais.

Como é lamentável ver atualmente grupos que se dizem pentecostais discriminarem companheiros e companheiras negras ligados a religiões afrodescendentes. Como é triste ver o nome de Deus sendo usado por evangélicos fundamentalistas, mas também por católicos e até por padres e bispos para apoiarem a extrema direita raivosa e o seu projeto neofascista. Dão razão ao cineasta Woody Allen quando dizia: *"Deus deve ser um cara bom, mas os amigos dele, eu não recomendaria"*.

Provavelmente pelo fato de que, muitas vezes, na história, Deus acabou sendo associado ao poder e ao domínio, reis e poderosos, com o apoio de sacerdotes e representantes religiosos, sempre passaram a ideia de que movimentos e pessoas que buscam a transformação social e política são não somente rebeldes no plano político, mas mesmo no nível religioso vão contra a ordem deixada por Deus. Durante a história, não poucas vezes, movimentos sociais e políticos incorporaram essa identidade e se colocaram como se fossem contrários a Deus e à religião.

Só na segunda metade do século XX, na América Latina e Caribe, movimentos e grupos que lutam sob a bandeira da transformação social contam com muitos companheiros e companheiras de fé, ligados ao Cristianismo e a outras religiões, e esses irmãos dizem lutar pela transformação do mundo por causa de sua fé. Ninguém de nós veria a ação do Espírito em guerras sagradas, de direita ou de esquerda. O sinal da ação do Espírito de Deus em qualquer movimento revolucionário está no esforço de criar maior humanização da vida. O cardeal Walter Kasper afirma: *"Sempre que brota algo de novo, ali há uma manifestação da atividade do Espírito"*. Como não ver o Espírito dando força às pessoas que até hoje procuram por parentes desaparecidos no Chile e por movimentos como o das Mães e das Avós da Plaza de Mayo na Argentina? O fato de reconhecer uma ação do Espírito na história do Movimento dos Trabalhadores sem Terra (MST), dos Sem-Teto (MTST) e de tantos outros movimentos sociais no Brasil e em outros países em nada tira desses movimentos o seu caráter laical e independente de crenças e religiões. Assim, vivemos na América Latina, a esperança de um novo bolivarianismo, que nasceu das comunidades de periferia e dos movimentos populares da Venezuela. Na primeira década desse século, em outros países, se chamou de insurgência indígena (na Bolívia) e de revolução cidadã (no Equador), sempre um processo social e político baseado no paradigma do *bem viver*.

No Brasil, Lula sempre procurou manter uma postura conciliadora em relação aos empresários e políticos que constituem o que, acertadamente, Jessé Souza chama *"elite do atraso"*. Mesmo assim, a direita sempre o considerou perigoso elemento da esquerda internacional. Fez de conta que o aceitava quando isso lhe era conveniente e assim que teve oportunidade procurou ver como poderia descartá-lo.

Talvez essa postura intolerante e cada vez mais claramente discriminadora das elites tenha devolvido Lula para a sua vocação original de profeta da transformação social, não a partir da conciliação com as elites, e sim a partir da caminhada do povo pobre. Conforme a teóloga feminista Elizabeth Johnson, *"sempre que estejamos aspirando algo inefavelmente a mais do que aquilo que aparece, mesmo que seja em contraste com forças esmagadoras, ali já transpira a experiência do Espírito"*.

Espiritualidade da dignidade ética

Simone Weil, grande espiritual francesa, afirmava: *"Eu reconheço que alguém é de Deus não quando me fala de Deus e sim pelo modo de se relacionar com os outros"*. É exatamente isso que podemos dizer de Lula: alguém que, ao longo de sua vida, tem aprendido a cuidar dos filhos e filhas de Deus e faz isso sem necessariamente ver nisso um ato religioso.

No mundo inteiro, quem é da justiça reconhece que, a partir de 2018 até os dias em que escrevo essas páginas, Lula tem sido vítima de um processo totalmente ilegal e injusto e por essa farsa foi condenado a pagar por um crime que não cometeu. Todos que, de perto ou de longe, têm podido acompanhá-lo na prisão, estão de acordo que ele tem feito da sua prisão um tempo de aprofundamento humano e espiritual. Sua justa insistência em provar sua inocência e ressaltar sua dignidade humana convocam toda a humanidade a rever os valores nos quais essa sociedade se fundamenta.

Quando as autoridades permitiram a ministros religiosos visitarem Lula uma vez por semana, fui a segunda pessoa a encontrar Lula em sua prisão (14 de maio de 2018). Conversamos a sós durante pouco mais de uma hora. Encontrei-o animado e, como sempre, de bom astral. E entre outros assuntos, o que mais me impressionou foi que ele me dizia sentir uma grande indignação pela injustiça da qual é vítima, mas, ao mesmo tempo, tinha como decisão jamais deixar o ódio tomar conta do seu coração. Indignação sim. Ódio, não.

Não é fácil viver uma postura de liberdade interior que nos liberte do ódio quando nos sentimos impotentes diante da injustiça e da mentira travestida de verdade. Como já nos anos 80 escrevia, no Chile, o nosso irmão Ronaldo Muñoz: *"Toda injustiça e opressão violenta ocorrem porque Deus não pode evitar. (...) Assumindo ele mesmo, por amor, o mal e a injustiça ali onde mais doem, o Deus que se deixa crucificar com o Crucificado e os crucificados de hoje, é ele que nos interpela se estamos fazendo o máximo e o possível para transformar essa realidade. (...) Crer junto com os sofredores e oprimidos no Deus de Jesus Cristo dá sentido e força para juntos viver e lutar"*.

Esse testemunho de fé na vida e em um Deus solidário e que sofre conosco a luta da vida, mesmo sem ser explícito, está presente na resistência do presidente Lula e na perseverança de todo o movimento de solidariedade ao nosso irmão injustiçado. Na caminhada das comunidades latino-americanas, aprendemos que o martírio, mais do que uma forma de morrer, é uma forma de viver como testemunha do reino nos riscos do cotidiano. É testemunho do Espírito Santo que assume conosco as cruzes da nossa caminhada. É isso que Lula vive e testemunha ao mundo a partir de sua prisão. O padre Comblin afirmava: "O Espírito é a força que infunde as energias necessárias para a vida renovada, restaurada e, no final, plenamente realizada".

O que, hoje, o Espírito nos diz

A espiritualidade responde ao apelo divino, à transformação interior. Esse apelo faz parte de todos os caminhos espirituais. Na tradição judaica e cristã, se chama *conversão pessoal e comunitária*. Trata-se de um processo permanente e é muito exigente. Espirituais cristãos do Oriente preferem falar em *processo de divinização* do ser humano. Expressões espirituais antigas e novas denominam de *renascimento*, ou até de *reencarnação permanente*. Espiritualidades mais laicais falam de *processo de amorização*. Em cada tradição, a realidade designada por esses termos tem significado próprio e, de certa forma, único, mas, de um modo ou de outro, corresponde ao que todas as tradições propõem, sempre no sentido de um processo de transformação que pode ser interior e comunitário. Por isso, ao falar da Espiritualidade que percebemos animar o presidente Lula, é importante tentar discernir em que direção o Espírito aponta o seu caminho para frente. Confirmamos o caminho feito para delinear de alguma forma o percurso que ainda resta por percorrer, por Lula e por todos nós.

Só Lula pode dizer o que nesse momento o Espírito lhe diz e que direção lhe aponta. Pessoalmente posso apenas pressentir o que acho que o Espírito diz a nós como povo em caminho de transformação social e como comunidades de discípulos de Jesus. Outros podem escutar e acolher outra palavra e, a esse respeito, explicito aqui alguns elementos, como a provocação a um diálogo e a um aprofundamento que, é claro, paradoxalmente, não pode ser feito aqui.

De minha parte, acredito que o Espírito de Deus está pedindo a nós e a Lula que prestemos mais atenção à revelação divina que nos vem dos povos indígenas, especialmente andinos, que nos falam do Bem-viver, como paradigma social e político, hoje, inscrito nas Constituições nacionais da Bolívia e do Equador. Esse projeto de construção de uma sociedade nova pede de nós a superação do velho paradigma do Desenvolvimento capitalista que será sempre baseado na desigualdade social e que a Terra e a natureza não suportam mais. O paradigma da Sustentabilidade, contido na proposta do Bem-viver animou os primeiros anos da Revolução Cidadã no Equador e hoje é aspiração de muitas pessoas e grupos no mundo inteiro.

Na sua carta sobre o cuidado da Casa Comum, o Papa Francisco defende um modelo de economia circular, solidária e amigável com os ecossistemas e os saberes ancestrais da gente. Diante dos megaprojetos de mineração, petroleiros e agroindustriais, como das hidroelétricas que ameaçam a Amazônia, é fundamental responder a esses questionamentos que o Papa Francisco formula para ver se esses projetos levam a um desenvolvimento integral: *para quê? Por quê? Onde? Quando? De que modo? Para quem? Quais são os riscos? A que custo? Quem paga esses custos e como fará isso?* .

Diante do dogma do Neoliberalismo que se impõe como único modelo possível de sociedade e diz que as desigualdades são inevitáveis, a espiritualidade que testemunha Deus como Amor é aquela que insiste em teimar e crer que *"outro mundo é necessário e juntos podemos torná-lo possível"*. Do mesmo modo, o Espírito nos pede que possamos superar o velho estilo da Política partidária baseada no conchavo e no poder centralizado. Já em 1980, Monsenhor Oscar Romero, mártir de El Salvador, defendia a *Dignidade da Política*, feita a partir de outros critérios mais comunitários e igualitários. Evidentemente isso não pode mudar magicamente e não depende apenas da decisão voluntarista de alguém, mesmo sendo uma pessoa carismática como Lula, mas precisamos nós todos (Lula e nós) crer nisso e querer isso. Só assim tal mudança de paradigma poderá se implementar a partir de um caminho assumido por todos e todas. Embora tudo leve a crer que não há alternativas possíveis, é preciso apostar na esperança. Nos anos 70, perguntaram ao Cardeal Joseph Leo Suenens, arcebispo de Bruxelas, como ele conseguia se manter sempre como pessoa de forte esperança. Ele respondeu o que penso, sem palavras, Lula está nos gritando hoje: "Esperar é um dever, não um luxo."

Esperar não é sonhar.

Ao contrário, é o meio de transformar um sonho em realidade.

Felizes as pessoas que ousam sonhar, e que estão dispostas a pagar o preço mais alto para que o sonho se torne realidade e se torne carne na vida das pessoas e do mundo". (Pentecostes, 1974).

Carta de Natal ao Bom Velhinho

Franklin Félix[1]

> *"Eu estava nu e me vestistes; eu estava doente e cuidastes de mim; eu estava na prisão e fostes me visitar. Então os justos lhe perguntarão: Senhor, quando foi que te vimos com fome e te demos de comer? Com sede e te demos de beber? Quando foi que te vimos como estrangeiro e te recebemos em casa, e sem roupa e te vestimos? Quando foi que te vimos doente ou preso, e fomos te visitar? Então o Rei lhes responderá: Em verdade eu vos digo, que todas as vezes que fizestes isso a um dos menores de meus irmãos, foi a mim que o fizestes! - Mateus 25:36-40*

Ontem nossa família esteve reunida. Digo *nossa* porque o senhor sabe que tem parentes sanguíneos (que estavam presentes), mas tem milhares de filhos/as, irmãos/ãs, mães, pais, noras, genros, todos do coração.

Reunimo-nos para brincar de amigo oculto, mas tinha um amigo ali, naquela sala, que embora não estivesse presente, era o mais revelado e, em homenagem a esse amigo, em alguns momentos puxávamos um coro por sua liberdade.

Seus netos são adoráveis, tiveram a quem puxar. Pais e avós exemplares.

Mas gostaria de aproveitar a oportunidade para me desculpar.

Tive que usar aquela travessa da moqueca que eu fiz para o senhor para servir os convidados – eu tinha prometido a mim mesmo que

---

[1] Franklin Felix é educador, psicólogo e um dos fundadores do Movimento de Espíritas pelos Direitos Humanos.

não a usaria por nada, até o senhor estar novamente com a gente. Não sei se sabe, mas a moqueca ganhou o seu nome.

Gostaria que me perdoasse também por, durante a sua prisão, eu estar fora do Brasil, aqui em Angola – lhe disse que viria para cá em nosso último encontro.

A propósito, o povo angolano te ama tanto quanto nós. Oramos juntos por sua liberdade e, como gratidão, mandaram alguns presentes, que mantenho guardados e espero lhe entregar em breve. O escritor angolano Ondjaki lhe mandou dois livros, porque sabe que o senhor tem lido muito durante esses dias.

Fiquei conhecido por lá como o cozinheiro do presidente. Embora eu só tenha cozinhado uma única vez para o senhor, gosto do título.

Ainda não consegui visitá-lo fisicamente, mas toda noite, nas minhas orações, é como se eu estivesse ao seu lado, ouvindo as suas histórias e até lhe contando alguns causos, enquanto observo seu sono.

Cheguei até a sonhar que Dona Lindu e Dona Marisa, juntas, mas em outro plano (onde as leis humanas não regem), organizavam uma grande corrente de oração pelo senhor.

Alguns irmãos e irmãs religiosos estiveram aí com o senhor. E toda vez que um vai, é como se um de nós estivesse ido também.

Após as eleições, combinamos que ninguém soltaria a mão de ninguém, e isso tem se intensificado, em vários lugares e em várias frentes, incluindo as religiosas.

Mantenho sob minha mesa de trabalho a nossa foto, como símbolo de resistência, mas também como forma de tê-lo por perto.

O que somos, atraímos, vivenciamos, muitas vezes são respostas à nossa mente.

E como é difícil decifrar a mente humana! Mesmo sendo profissional da área, não consigo entender ou explicar determinados comportamentos.

Em relação à minha comunidade de fé, nós, espíritas acreditamos que o pensamento é vida e que podemos, por meio dele, abençoar ou maldizer, curar ou adoecer.

Sei que deve ser bem difícil manter bons pensamentos sendo vítima de uma das piores injustiças cometidas contra alguém. Mas ninguém atira pedra em árvore que não produz (bons) frutos, não é mesmo?

Gostaria de recordá-lo que, historicamente, sempre fizeram isso com nossas lideranças: Mandela, Jesus, Olga Benário, Gandhi, Luther King, Barbara de Alencar, Tereza de Benguela.

Parece acreditarem que dessa forma eliminam as suas ideias, Lula, mas esquecem que essas ideias, de justiça social, solidariedade e bem viver, permanecem vivas em nós.

E Lula agora é uma ideia. Um horizonte. Somos milhares de Lulas.

Querido presidente Lula, que o aniversariante deste mês, aquele menino pobre, refugiado, sonhador, líder energicamente amoroso, e também perseguido, caluniado, exposto, envergonhado, mas que se tornou um exemplo de resistência e de bom combate, possa estar sempre com o senhor. Amparando, abençoando, intuindo e dando forças para (r)existir.

Tenha certo que milhares de brasileiros/as, na noite que celebra um dos momentos mais importantes para nós cristãos – o nascimento do Cristo de Deus –, estarão com o senhor em espírito e verdade.

Jesus esteja convosco.
Lula livre!

Lula, o Andarilho

Artur Peregrino[1]

Não importa onde você está, e sim onde quer chegar.
Luiz Inácio Lula da Silva

Para ler a vida de Lula, o olhar não deve ser, primeiramente, para um político, mas para um místico. Lula é cristão e teve essa compreensão: o pobre é o melhor Evangelho de Jesus de Nazaré. Lula viveu uma experiência de minoria, vivida em carne própria. Sua vida de andarilho começou cedo.

Em dezembro de 1952, Dona Lindu, sua mãe, reúne os filhos, vende a casa e os poucos pertences, e embarca num pau-de-arara rumo a São Paulo. Milhares de retirantes repetiriam o mesmo trajeto nas décadas seguintes, o que foi imortalizado na música "Triste Partida", de Luiz Gonzaga.

Em uma grande cidade industrializada, Lula faz suas primeiras experiências trabalhando como ambulante, engraxate, *office boy* e como auxiliar em uma tinturaria, esse foi seu primeiro emprego com carteira assinada. Após um processo de luta e mobilização junto aos trabalhadores, Lula é preso em 1980 e, com a prisão

---

[1] Doutorando em Ciências da Religião pela UNICAP e Mestre em Antropologia pela UFPE; Licenciado em Filosofia pela UNICAP; Bacharelado em Filosofia pela UNICAP e Bacharelado em Teologia pelo Instituto de Teologia do Recife - ITER; Especialista (SENAC) e docente (UNICAP) em EaD; prof. do Curso de Teologia na UNICAP e integrante do Instituto Humanitas - IHU UNICAP; prof. Extensionista; pesquisador do Grupo de pesquisa UNICAP/CNPq Religiões, identidades e diálogos, na linha de pesquisa Diálogos inter-religiosos; membro do Grupo de Peregrinas e Peregrinos do Nordeste – GPPN.

revogada, ele volta para São Bernardo. Ao voltar pra casa, sua primeira atitude foi abrir uma gaiola e dar liberdade a um passarinho. Diz a sabedoria popular que um gesto vale por mil palavras. Esse gesto tem muito a ver com o ser humano, com o caminho e com a liberdade.

Sua vida de andarilho pelo mundo começou em 1980, quando entre 80 e 81 visitou mais de 10 países. Após essas andanças Lula logo iniciou uma grande articulação nacional de combate à fome. Sua percepção da vida do povo pobre é aguda e por isso entra na luta — que é classista, naturalmente, porque as classes estão aí e são constituição iníqua da nossa sociedade — para ajudá-los a vencer a fome, a miséria, a submissão, a dependência, a exploração.

Foi em 1993 que Lula decidiu andar pelo nosso país, de canto a canto, com as Caravanas da Cidadania. Em sua terra natal, Garanhuns – PE, Lula iniciou a primeira Caravana da Cidadania, que duraria 20 dias, terminando em São Paulo. O objetivo era resgatar temas urgentes como conflitos de terra, entraves à produção agrícola, seca e miséria. Então ele aprofundou sua vida de andarilho. Seu interesse era conhecer o Brasil profundo. E fez isso viajando de ônibus, de barco ou por meios que chegassem aos lugares para encontrar o pobre. E a ação das Caravanas da Cidadania não é individual, mas uma ação coletiva onde atua uma equipe transdisciplinar. Partindo do princípio de que tudo tem ligação com tudo, usando o método de Paulo Freire, imprimiu uma relação de valorização da cultura do povo, em que escutar as pessoas era parte integrante de todo processo. Primeiro, em vez de discursar, ele entrevistava as pessoas, perguntava como elas viviam naquele lugar.

Quem caminha no meio do povo vê, percebe, sente, comove-se e internaliza o que vai vivendo. Vive momentos de consolação e desolação. O caminho ao mesmo tempo traz pacificação e indignação. O andarilho logo percebe a monstruosidade das injustiças. Na Caravana da Cidadania em 1993 Lula dá o seguinte depoimento: *"Eu vi pessoas há 3, 4 dias sem comer. Vi pessoas comendo palma. Vi pessoas que dizem que vivem por conta de Deus. Eu vi pessoas com 12, 13 filhos sem ninguém trabalhar. Eu vi gente cozinhando o feijão com água e sal sem mais nada, sem arroz, sem nada de mistura. Como cidadão brasileiro eu fico indignado".* Eis um grande ponto de convergência com a espiritualidade do andarilho Jesus de Nazaré. Os Evangelhos relatam que a opção de Jesus pela periferia da palestina expressa sua opção libertadora (Lc 4,14-21).

Nos arquivos das Caravanas da Cidadania de 1994, Lula é muito enfático quando diz que *"um presidente da república tem que colocar o pé na estrada para conhecer o povo, os problemas reais. Não basta ver no mapa o Brasil, não basta ver no livro o Brasil. É preciso conhecer o Brasil a fundo. É preciso pegar na mão das pessoas, olhar nos olhos das pessoas, ver as pessoas. Só assim teremos compromisso de irmão para irmão".* E isso Lula fez andando pelo país dezenas de milhares de quilômetros e percorrendo centenas de cidades. Com as Caravanas da Cidadania Lula percebeu um país muito maltratado. As caravanas da Cidadania normalmente aconteciam longe dos grandes centros urbanos e do litoral. Marcaram presença nos chamados grotões, lugares distantes do noticiário e da ação do Estado.

Foi nessas peregrinações que Lula amadureceu ideias, projetos e a prática do diálogo democrático com toda a sociedade para a elaboração de políticas públicas. Um dos resultados mais cintilantes foi o Brasil sair do mapa da fome. Logo que assumiu a presidência, em 2003, Lula levou mais da metade de seus ministros para uma viagem por regiões pobres do Nordeste e de Minas Gerais. No roteiro, locais como favelas, palafitas e periferias de regiões pobres. Para Lula, era fundamental conhecer a realidade de miséria e compreender a importância de priorizar políticas de inclusão social.

Na presidência do Brasil, Lula assumiu a vida de andarilho. Nos oito anos como presidente, passou mais de um ano viajando pelo exterior. Visitou mais de 84 países e ficou exatos 477 dias peregrinando pelo mundo. Os pobres do mundo foram sua prioridade e de maneira especial os latino-americanos e africanos. Nos seus discursos, repetia como um profeta que tem uma ideia fixa: *"Quero colocar os famintos do país no cenário político"*.

Um discípulo indagou, certa vez, a um mestre: "Como encontrar o caminho?" O sábio respondeu: "Caminhe!" É isso que Lula faz! Mas Lula foi preso novamente. Por que prendem o andarilho? Que perigo ele oferece? Devemos buscar essa resposta na própria história. Lula faz parte de uma linhagem de profetas e profetisas que surgem no meio do povo em cada época.

Lula tem suas raízes no agreste/sertão de Pernambuco. Vem de uma tradição arraigada no catolicismo popular nordestino que carrega a tradição de líderes populares que juntaram o povo para livrar-se da condição miserável a que era submetido. Surge o padre e Mestre Ibiapina (1806–1883) que andou pelos sertões criando comunidades (Casas de Caridade), fazendo mutirões com o povo, apontando saídas para o sofrimento. Foi seguido pelo beato Antônio Conselheiro (1830–1897) que peregrinou 20 anos pelos sertões do Nordeste, onde criou a comunidade igualitária e libertária de Canudos. Padre Cícero Romão (1844–1934) que dedicou toda vida a serviço dos pobres desvalidos. O beato José Lourenço (1870–1946) que criou a comunidade do Caldeirão, onde o exemplo de trabalho e crescimento da comunidade incomodou os grandes fazendeiros e coronéis. Lula é um legítimo membro dessa estirpe de líderes populares que foram incompreendidos, perseguidos pelas instâncias de poder político, econômico e eclesiástico. O próprio Lula disse: *"A história do Brasil é assim: toda vez que houve começo de revolta, começo de levante dos pobres, sufocaram"*. Ele próprio tem consciência que vem dessa tradição libertária.

O místico é alguém que recebeu uma Graça especial que, no dizer de Dom Helder Câmara: *"É graça divina começar bem. Graça maior persistir na caminhada certa. Mas graça das graças é não desistir nunca"*. Lula confirmou essa Graça, em entrevista à TV 247, aos jornalistas Mauro Lopes, Paulo Moreira Leite e Pepe Escobar, no dia 23 de agosto de 2019, nas dependências da Polícia Federal onde está trancafiado em Curitiba injustamente pela elite política e econômica do Brasil, que usou o poder judiciário para cumprir as determinações do Departamento de Justiça dos Estados Unidos da América (no tempo de Jesus chamava-se Sinédrio). Essa farsa tirou Lula da disputa nas eleições presidenciais de 2018, a qual venceria com folga em turno único, como apontavam as diversas pesquisas de opinião.

Na sua disposição de continuar peregrinando pelo Brasil, Lula disse na entrevista: *"Quando eu sair daqui vou pra rua, conversar com o povo brasileiro, porque não é normal a gente aceitar a fome como normal"*.

Lula não só é o maior Estadista do século XXI, mas sua vida revela um personagem bíblico, um profeta, um místico. Com os arroubos de um profeta, tem expressado a mensagem de Jesus, o andarilho da Galileia. Há uma profunda espiritualidade presente nesse personagem que hoje é maior que ele. Lula mostrou que o problema social não é um problema puramente técnico ou de forças coletivas, mas de amor. O amor ao pobre começa por um movimento em direção a ele. As Caravanas da Cidadania deram o primeiro passo ao ir ao encontro desse pobre. Lula deixou-se atingir pelo olhar do pobre porque ele percebeu sua doação à causa de sua libertação e o consagrou no coração.

Bela é a vida de Lula e também a tradução, a partir de uma fonte hebraica, da primeira palavra do Sermão da Montanha:

Em marcha! Em marcha, os humildes! Em marcha, os famintos e os sedentos de justiça! Em marcha os corações puros! Em marcha, os pacificadores!... O caminho para a bem-aventurança é caminhar.

A Prisão Revelou a Espiritualidade de Lula ao Brasil — E Como é Ela?

Mauro Lopes[1]

Houve uma prisão em 7 de abril de 2018 que foi, a um tempo, uma tragédia para o Brasil e para Luiz Inácio Lula da Silva. Mas, paradoxalmente — e toda a vida é paradoxo — fez muito bem a Lula. Trata-se de um paradoxo que habitou também as celas de Nélson Mandela e Pepe Mujica.

Esta percepção aguda ele mesmo teve e expressou em sua primeira entrevista na prisão, que concedeu em 26 de abril de 2018, aos jornalistas Mônica Bergamo e Florestan Fernandes Júnior: "Eu acho que vou sair daqui melhor que entrei".

O que aconteceu com Lula em Curitiba? E com Mandela, ao longo de 27 anos? E com Mujica, em seus 14 anos de cárcere?

Cada um deles, a seu modo, em solitárias, foram lançados à realidade de si próprios. É uma jornada comum aos místicos, especialmente aos monges e monjas de todas as tradições religiosas. Para estes, a cela é o lugar do fogo, onde o fundidor senta-se à beira do forno e observa o processo de purificação da prata (Malaquias 3,2-3).

Não é à toa que a palavra "cela" tem seu nome tomado dos mosteiros, e não das prisões. É na cela que o místico realiza sua jornada, seu caminho.

---

[1] Mauro Lopes, jornalista, é editor do portal Brasil 247, âncora do programa Giro das 11 na pós-TV 247, fundador do canal Paz e Bem. Foi empresário na área de comunicação e viveu por dois anos a experiência de vida monástica (2011-2013) antes de retornar ao jornalismo.

Tem sido assim com Lula.

Aos poucos, ele vai fazendo seu caminho de espiritualidade — humanizando-se. É constatação dele próprio, nessa aludida entrevista:

> Eu curto a solidão tentando aprender, tentando gostar mais do ser humano, tentando ficar um pouco mais humano.

A prisão fez emergir, aos olhos do Brasil, a espiritualidade de Lula.

Havia algo plantado no coração de Lula. Não há geração espontânea. Ele sempre cultivou sua espiritualidade. Ele a manteve longe da opinião pública, como algo da esfera familiar. Mas lá estava.

Católico, Lula mantém há 40 anos relações de proximidade e amizade com dois dos autores deste livro — e tem com eles partilhado sua espiritualidade. Leia o artigo de Leonardo Boff e a entrevista de Frei Betto para entender esta trajetória.

Não é possível entender Lula e sua espiritualidade sem esta jornada de 40 anos. Igualmente, não é possível pensar seu partido sem a dimensão da espiritualidade.

O PT foi resultante de três forças muito poderosas na sociedade brasileira. Sua fundação, em fevereiro de 1980, foi o ponto de convergência entre o sindicalismo de compromisso com as causas e desejos mais profundos dos trabalhadores e trabalhadoras do país, o melhor da intelectualidade brasileira e as Comunidades Eclesiais de Base (CEBs), animadas pela Igreja Católica e outras.

Na prisão, Lula deixou-se estar e fundir, à luz de sua biografia.

E encontrou — ou foi encontrado.

Um ano depois da prisão de Lula, fiz uma entrevista com Leonardo Boff para o canal Paz e Bem (Paz e Bem 155, em 25 de abril de 2019). Boff revelou uma conversa dos dois na cadeia e uma confissão de Lula:

> Boff, eu descobri agora, aqui na prisão, a espiritualidade, o profundo do ser, o estar na palma da mão de Deus.

Esta descoberta da espiritualidade profunda por um homem sábio, o maior líder da história do país, é uma boa nova, porque se há algo que é identidade dos pobres no Brasil é seu enraizamento na religiosidade.

Lula agora tem o que nos dizer sobre espiritualidade, às claras, muito além das fronteiras familiares.

Em uma troca de cartas, ele escreveu-me, em 16 de julho de 2019:

> Temos que rezar, meditar e militar nos movimentos sociais, tudo feito com o objetivo de encontrar motivação e prazer na nossa existência no planeta.

Com a formulação, Lula apresentou-nos à sua espiritualidade e, ao mesmo tempo, indicou um caminho que pode ser comum a todo o povo, a cristãos e cristãs, budistas, espíritas, candomblecistas, umbandistas, judeus e judias, muçulmanos e mulçumanas, agnósticos e agnósticas. Até ateus e ateias. Todo mundo!

Um tripé surpreendente: espiritualidade como jornada de oração, meditação e militância.

Todos rezamos. Pode parecer surpreendente, mas é verdade. Mesmo para ateus e ateias.

O que é oração? De maneira muito sintética: pedir e agradecer. Pedimos algo, agradecemos por algo. Esta é nossa vida como seres humanos. Pedimos uma bola ou uma boneca para nossos pais. E eles nos ensinam a agradecer. Pedimos emprego e somos gratos por termos como ajudar no sustento da família. Pedimos alguém em namoro e flutuamos em gratidão quando ouvimos "sim". Apresentamos à Outra, ao Outro transcendente nossas dores e angústias e voltamos para falar de nossa alegria. Em certo sentido, portanto, todos rezamos.

Em sua cela, Lula descobriu a maravilha do silêncio — da meditação. Precisamos, todas e todos nós, silenciar a algaravia interior se quisermos nos lançar à descoberta de nós mesmos e abrirmo-nos ao ritmo do multiverso. Meditação — silêncio interior — é uma escola de espiritualidade.

Por fim, militância. Lula sempre soube que é na relação com o outro que nos reconhecemos como seres humanos. É no toque, na escuta, no chorar e rir juntos, na comunidade, no partido, no sindicato, nos movimentos que nos conformamos como pessoas — e país. Somos relação. E a militância pode ser espaço privilegiado de relação, mas para isso precisa estar assentada sobre oração e meditação, para não degenerar em ativismo estéril que, ao fim e ao cabo, pode nos desumanizar. Lula sabe disso. E agora nos ensina.

Em sua cela, Lula humanizou-se.

E tornou-se mestre de espiritualidade para o povo brasileiro.

Oração, meditação e militância: um caminho desafiador para cada uma e cada um de nós.

A Dimensão Ética e Espiritual de Lula

Leonardo Boff[1]

Aqui não me refiro ao personagem político Luiz Inácio Lula da Silva, mas à pessoa, de carne e osso, de Lula. Somos amigos já há quarenta anos, quando ele ainda era líder sindical e começava sua carreira política como deputado constituinte. Convivemos em muitos momentos e tivemos longas conversas.

Lula e a inteligência criativa

Duas qualidades sempre me impressionaram nele: a inteligência e a ética. Em razão de meu trabalho, estive com muitos mestres, cientistas e sábios. Fui professor visitante em universidades famosas, o que me propiciava encontros com outros saberes e professores, alguns mundialmente conhecidos.

Mas sinceramente confesso: nunca encontrei alguém com uma inteligência tão desperta quanto aquela de Lula. Capta, como que intuindo, as coisas mais complexas que você lhe diz. Ele vai logo ao foco da questão e sabe dizê-la de forma compreensível. Cria conexões surpreendentes, sinal inequívoco de uma inteligência desperta e criativa.

Confissão semelhante fez também o Chanceler Celso Amorim, que frequentemente se surpreendia com as intervenções de Lula em encontros internacionais, inclusive nos assuntos de alta complexidade, de forma inventiva e pertinente.

---

1 Leonardo Boff é teólogo, filósofo, escritor, membro da Iniciativa Internacional da Carta da Terra e portador do Prêmio Nobel Alternativo da Paz de 2001.

A escola não detém o monopólio do saber. Algumas até matam gênios naturais que são enquadrados na formação convencional que, não raro, mediocriza as pessoas mais inteligentes. Lula frequentou a melhor escola que existe, que dura a vida inteira: a *escola da vida concreta* com suas contradições e excelências, numa escuta atenda de todo mundo. Guarda de memória pensamentos e dados de forma espantosa.

Lula herdou a ética da mãe, Dona Lindu

Outra dimensão que guardo de meu convívio de muitos anos com Lula se refere à sua ética pessoal. Aprendeu com sua mãe, Dona Lindu, a nunca mentir e jamais roubar qualquer coisa de alguém. Mesmo quando menino, servindo num mercadinho, assolado por uma vontade louca de mascar uma chiclete norte-americano ou mesmo experimentar uma maçã argentina, dentre as que ele distribuía nas gôndolas. Mas o pensar em sua mãe suprimia aqueles desejos quase irresistíveis.

Confessou-me na solitária de Curitiba, em 2018: a maior ofensa e injúria que lhe podem fazer é de chamá-lo de ladrão. "Se você encontrar alguém em suas viagens e nas suas palestras que disser que recebeu cinco centavos de mim ou que lhe dei cinco centavos, diga-lhe que é um mentiroso. Nunca me apropriei de nada de ninguém", acrescentou. "Minha mãe, Dona Lindu, que está sempre presente dentro de mim, jamais o aprovaria. Graças a ela, venci todas as tentações".

Ética é entendida aqui como a disposição de fazer sempre o bem, começando por aqueles aos quais é negada a bondade. Repetiu muitas vezes: "Não consigo ter ódio ou rancor daqueles que 'por convicção' me condenaram". Não sente isso como virtude, trata-se de seu *ethos* interior, natural, dado por Deus. Mas sente profunda indignação contra a injustiça, seja contra ele, pessoalmente, seja contra a classe operária, ou seja, qualquer outra pessoa, por humílima que seja.

O lugar da ética não está na cabeça com o pretendia Immanuel Kant com seu imperativo categórico ou mesmo o próprio Aristóteles em sua ética da justiça, endereçada a Nicômaco.

A razão pode identificar o bem. Mas não é ela que leva alguém a praticá-lo. É o coração. A sede da ética está no coração, na razão cordial ou sensível. É ela que faz o samaritano ser sensível e se debruçar sobre o caído na estrada. Todos os que passavam o viram e tinham suas razões (a razão via) para passar ao largo. Mas ninguém teve coração para sentir sua situação de assaltado e de levá-lo para o hospital. Por isso dizemos o "bom" samaritano. Só ele foi bom porque teve sensibilidade e bondade no coração.

Quando Lula chorou

Duas situações me marcaram nas conversas com Lula. Certa vez, vindo de carro com ele de São Bernardo para o centro de São Paulo, passamos por um terreno baldio. Ele mandou parar o carro: "aqui eu, voltando da fábrica, parei muitas vezes. Sentava-me e chorava, por não ter nada para levar para meus irmãos, que passavam fome em casa". Era o coração que sentia e sofria por causa do outro, era a ética mínima de dar pão a quem tem fome.

Outra vez, após um simples lanche no palácio em Brasília, saímos à noite, caminhando e conversando pelo jardim. De repente parou e se voltou para mim, colocando as duas mãos sobre meus ombros: "você pode imaginar um nordestino, um pau de arara como eu, que passou fome e que viu vizinhos morrerem de fome em Garanhuns, agora estar aqui como Presidente deste país... Você pode imaginar? Farei tudo em minha vida, 'farei o diabo que for' para que ninguém precise morrer de fome em nosso país. Esse é o sentido de eu estar aqui e de ser Presidente. Se conseguir cumprir esta missão, nem que seja só uma parte dela, valeu a pena ter vivido e ter chegado até aqui".

Aí lembrei-me de outro fato. Certa vez Lula, com a família dele e com a família de Jair Menegueli, dois líderes sindicais, quis passar o carnaval na velha fazenda do Dr. Affonso Monteiro da Silva, pai de Márcia, minha companheira. Fica em Minas Gerais, num lugarzinho chamado Sossego, no município de Santana do Deserto.

Era uma fazenda dessas antigas, num belo estilo colonial, de cerca de dois séculos, quando os donos tinham escravos ainda. Frei Betto, que trata Lula como irmão, meu irmão teólogo Frei Clodovis e eu, resolvemos celebrar uma missa, no belo pátio sombreado da fazenda. Lula devia fazer a homilia. E que sermão!

Confessou, como saindo do coração, que "sentia lá dentro da alma, uma força misteriosa, um chamado de ser o libertador do Brasil. Não sabia como. Mas esse impulso me era forte e imperioso".

Eu lhe recordei, no passeio noturno no jardim do palácio em Brasília, que esse chamado estava agora sendo realizado. Era coisa que vinha de algo mais fundo e de algo mais alto. Deveria vir de Deus.

Lula retrucou: "não descansarei enquanto não conseguir que todo brasileiro possa comer três vezes ao dia; impedir que as crianças não consigam dormir, chorando e soluçando, porque têm fome".

"Esse é sentido que dou ao fato de ter sido eleito Presidente. É para saciar a fome dos famintos, para dar-lhes uma casinha digna, para lhes conseguir um trabalho, para que tenham uma escola que ensine os seus filhos e um posto de saúde onde possam tratar de suas emergências, para que recebam uma aposentadoria que lhes permita aliviar os achaques da idade, para que no fim de semana possam tomar sua cervejinha com os amigos e para que possam ser minimamente felizes. Para isso estou aqui dentro desse Palácio. É por causa deles e por eles".

Essa ética envolve uma visão espiritual do mundo: pensar no outro, ser solidário com seu padecimento, fazer aquilo, como se diz por aí, que alguém fez, há mais de dois mil anos: multiplicou e mandou distribuir pão e peixe a uma multidão faminta.

Lula não se cansava e não se cansa de dizer: "é importante dar o pão; mas não basta. Precisamos resgatar a dignidade de cada pobre. Ele deve saber que é um filho ou filha de Deus, que deve ser respeitado e que tem direitos invioláveis". O que mais lhe causava satisfação era ouvir da boca de pessoas do povo: "você foi o único presidente que pensou em nós e nos deu dignidade".

Lula, membro da religiosidade popular

Lula é, como a maioria dos nordestinos, um homem religioso. Sua religiosidade não tem nada de teológico e de refletido. É a simples religiosidade popular, um dado que pertence à vida. Ele, como a maioria da gente do povo, não pensa Deus. Sente-o na pele, na natureza, nos fatos cotidianos, na forma de pedir e dar a bênção e de dizer: "vá com Deus, fique com Deus!".

Agora, na prisão-solitária, aprofundou esta espiritualidade popular. Descobriu a espiritualidade e a força interior que ela confere. Durante muitos meses, foi-lhe permitido que algum religioso, das várias correntes espirituais, pudesse visitá-lo e conversar sobre espiritualidade.

Eu mesmo, na primeira vez que o visitei, lhe entreguei vários livros de espiritualidade, especialmente um: *Espiritualidade: caminho de auto-realização*. Deixei-lhe uma lista de salmos para que os recitasse, especialmente aqueles que se referem ao justo sofredor e à vítima da injustiça dos poderosos.

Falei a ele da importância de ele invocar sua referência ética e espiritual, a Dona Lindu. Contei-lhe que o presidente boliviano, Evo Morales, uma vez me disse, nas poucas conversas que tive com ele, que quando se sentia confuso com os problemas políticos a ponto de não poder dormir, se levantava e ia para um determinado canto da casa, se inclinava profundamente até o chão e invocava os ancestrais. "Ao morrer eles não vão embora; apenas passam para o outro lado desta vida. Eles estão vivos, embora invisíveis. De lá acompanham e aconselham os governantes e o seu povo". E confessou: "sempre saio com alguma inspiração!"

Disse ao Lula: "faça com sua mãe, Dona Lindu, o mesmo que Evo Morales fazia com seus ancestres. Nós, cristãos, confessamos no credo 'a comunhão dos santos'". "Expliquei-lhe que os santos aqui não são os santos e santas dos altares. São todas as pessoas que estão junto de Deus, como sua mãe. Eles nunca estão ausentes. São apenas invisíveis. Então, disse eu, "em suas dúvidas e perplexidades, vá para aquele canto (apontei um lugar), ajoelhe-se, concentre-se e invoque sua mãe, Dona Lindu. Ela iluminará sua cabeça e aquecerá seu coração".

Não posso assegurar se seguiu meu conselho. Mas dei-lhe o exemplo de um governante indígena, que pela primeira vez, como indígena, foi eleito presidente de seu povo, grande parte composto por quéchuas e aymaras.

Não posso esquecer um detalhe da primeira visita, depois de um mês de completa solidão, visitado apenas pelos advogados e na quarta-feira pelos filhos, e por ninguém mais.

Na primeira vez, uma juíza, cujo nome sequer merece ser citado, insensível, dura de coração e plena de vontade punir — a mesma que autorizou transferência de Lula de Curitiba para a prisão comum em Tremenbé-SP, depois suspensa pelo STF —, negou a visita do prêmio Nobel da Paz, o argentino Adolfo Perez Esquivel e a minha. Eu acompanhava Esquivel. Ele detém uma das "medidas de Mandela", um instrumento da ONU que permite aos portadores desse prêmio a entrar nas prisões e em regiões de conflitos bélicos do mundo inteiro. Trata-se de uma instrução subscrita também pelo Brasil. Pois esta voluntariosa juíza o proibiu terminantemente de entrar. Enfatizou que isso não valia para o Brasil.

Provavelmente ela representava a vontade de alguém mais alto, mais perverso e grande perseguidor: o juiz que condenou Lula "por um ato indeterminado" portanto, sem indicar a materialidade de qualquer crime ou delito.

Um mês após, a convite do próprio Lula, pude visitá-lo, agora sozinho. Ao me ver, nos abraçamos e choramos juntos. Ele dizia: "finalmente encontro alguém e abraço uma pessoa humana, sempre negado por aqueles que me querem deprimido e sem vigor. Eles não sabem o que é um nordestino que podia morrer de fome aos três, quatro anos e que agora está aqui, são e forte". E notei sua inteireza, seu vigor, igual ao que sempre foi. Um nordestino é antes de tudo um forte, poderia dizer Euclides da Cunha. E Lula é um nordestino desta têmpera.

Todos que vão para consolá-lo e dar-lhe forças, saem consolados e mais revigorados, pela irradiação que transmite em sua vida e em suas reflexões.

Cabe citar a extraordinária irradiação carismática, própria de Lula, por sua espontaneidade, pela relação amiga, pelo senso de humor e pela confiança que inspira. Muitas vezes o ouvi dizer: "em política a confiança é tudo; se um político não mostra confiança pessoal e não a conquista junto ao povo, perde a eleição. Se eleito, perde a credibilidade", como exemplarmente notamos atualmente no ex-capitão, feito presidente, mas completamente desmoralizado nacional e internacionalmente pela insensatez e absoluta falta de confiança que se evidencia.

Na segunda vez que o visitei, logo após as eleições, pensava encontrá-lo abatido, pois, notoriamente, não gosta de perder, nem mesmo num jogo de baralho. Desta vez estava tranquilo, pois se deu conta da monstruosidade que foi a eleição e o preocupava a desgraça que iria cair sobre o povo brasileiro. Não foi o ex-capitão que venceu. Foi Haddad que perdeu. A vitória foi uma derrota da ética e dos bons costumes políticos, uma vitória da falsidade, das mentiras explícitas, da indecência, dos *fake news*, da falta de decoro, da insensatez nos pronunciamentos e na onda de ódio e de dilaceração social que provocou e continua deliberadamente provocando.

Nesta segunda visita falamos explicitamente sobre espiritualidade. Lula confessou que com as leituras trazidas e com as conversas, internalizou esta dimensão espiritual, deu valor à oração e descobriu sua importância na vida.

Confessou espontaneamente: "três coisas me sustentam dentro desta prisão: a profunda convicção interior de minha inocência; o sonho indestrutível de ao sair daqui, e deverá chegar o dia em que sairei, retomar minhas caravanas pelos estados para fortalecer a esperança perdida do povo brasileiro e levar avante o resgate do que foi desmontado e retomar a libertação do Brasil; a saudação que ouço três vezes ao dia 'bom dia, presidente, boa tarde, presidente, boa noite, presidente'. Tudo isso significa uma injeção de ânimo de que o povo não se rendeu e ainda acredita em nosso projeto; e, por fim, a espiritualidade que me faz sentir Deus do meu lado e eu, como quem está na palma de sua mão".

Lula e suas sombras

Entre amigos sempre vale a confiança mútua e a plena transparência. Quem seguiu meu testemunho deve ter pensado: mas em Lula há só luzes? Onde ficam as sombras que acompanham cada pessoa?

Efetivamente todos nós, mortais, somos urdidos pela luz e simultaneamente pela sombra. Isso não é um defeito de criação. É a nossa condição humana, limitada e mortal, pois não somos deuses.

Lula também possui suas sombras e eu, mas muito mais minha companheira Márcia, apontávamos a ele esse seu lado da existência, numa fala verdadeira como é natural entre amigos.

A primeira delas, na minha opinião, é sua ingenuidade. Acredita facilmente na bondade das pessoas, até das poderosas. Isso vem de sua natural bondade. Mas em política a ingenuidade pode levar a erros funestos. Importa ter consciência de que, geralmente, o político profissional pensa numa única intenção, isto é, na segunda. Diz uma coisa (primeira intenção), mas, na verdade, está pensando em outra (segunda intenção). Assim, confiou nas oligarquias que o apoiariam em suas políticas sociais à condição de que não mexesse na natureza de sua acumulação. Confiou nelas, sabendo que elas jamais aceitaram um presidente vindo do andar de baixo e que poderia dar um novo rumo ao Brasil. Como o eminente historiador José Honório Rodrigues mostrou em sua vasta obra, as oligarquias sempre se aliaram e tramaram contra o povo, marginalizando-o. Sempre que o povo tentou levantar a cabeça foi esmagado.

Jessé de Souza, notável sociólogo e crítico feroz do atual governo, em sua obra *Elite do atraso: da escravidão à Lava Jato* enfatizou que os descendentes da Casa Grande, a velha oligarquia ainda dominante (mas há uma nova que é nacionalista e sensível a mudanças que visam à justiça social), não só jogaram os pobres, negros e mestiços na marginalidade, senão que os desprezam e tudo fazem para tirar-lhe até a dignidade.

Nisso Lula não usou suficientemente sua inteligência arguta. Seu projeto, assumido também por Dilma Rousseff, foi desmontado por uma articulação do parlamento, do poder judiciário, da imprensa empresarial conservadora, não excluída a trama montada no Departamento de Justiça do governo americano. Tanto fizeram que conseguiram voltar ao poder e, hoje, na sua forma pior: o ultraliberalíssimo regressivo, obtuso e repressor.

A outra sombra, a meu ver, foi não ter feito um pacto com os movimentos sociais (como fez, aliás, Evo Morales) que o elegeram e ter preferido um presidencialismo de coalização que o obrigou a políticas tradicionalmente elitistas e até corruptas, o que contaminou parte de seu partido, resultando no Mensalão e no Petrolão. Suspeito que Lula nunca teve ciência plena destas distorções, feitas às escondidas, pois em caso contrário receberiam dele uma dura repreensão em nome de sua ética pessoal.

Estimo que outra sombra de Lula foi a pouca vigilância sobre as práticas políticas de seus correligionários e amigos que comprometeram os ideias originários do Partido dos Trabalhadores — a favor de políticas sociais, a ética na política e contra qualquer tipo de corrupção, por uma democracia participativa e outros — misturando interesses pessoais com interesses coletivos e levando vantagens à custa do dinheiro público.

Outra foi um certo descaso da força política dos movimentos sociais, especialmente com referência ao MST e outros semelhantes. Preocupou-se sim, com os mais invisíveis como os catadores de materiais recicláveis, os cadeirantes, os idosos e outros. Mas a política diária e cotidiana de disputa parlamentar por projetos sociais o fez distanciar-se da vasta rede de movimentos sociais.

Outra sombra, ainda na minha leitura de sua vida, foi não ter dado mais importância à educação da consciência cidadã e crítica aos beneficiados de suas políticas sociais. Criaram-se mais consumidores que cidadãos críticos e participantes.

Esse vazio foi explorado por aqueles que nas últimas eleições, carregadas de irregularidades, souberam manipular a ignorância política do povo com um populismo ignóbil, disseminando medo face ao comunismo (existente só na cabeça paranóica do ex-capitão), gerando uma cultura do ódio, da violência e da dilaceração social e familiar. O anti-petismo e a corrupção atribuída principalmente ao PT, feito bode expiatório de todo tipo de maldade no país e de introdutor da corrupção, sabidamente endêmica em nosso sistema político.

Estas sombras, não diminuem o fulgor de sua dimensão de luz, de seu carisma voltado em benefício dos filhos e filhas da pobreza, do resgate da soberania nacional contra o claro entreguismo aos interesses norte-americanos, numa subserviência infantil e de causar vergonha, que abandonou uma diplomacia ativa e altiva que projetou o Brasil no cenário mundial como uma potência emergente, decisiva para os destinos futuros do mundo.

Lula, um legado para a humanidade

Lula é uma figura da qual nós e a humanidade podemos nos orgulhar, por seu empenho na defesa dos sofredores deste mundo, vítimas de um sistema que prefere o lucro material à vida em sua sacralidade. O projeto *Fome Zero* e, depois, a *Bolsa Família* e outras políticas inovadoras em benefício dos sobreviventes da grande tribulação brasileira, influenciaram as políticas sociais de outros países.

O mundo será diferente com Lula livre, com os benefícios que sua palavra candente e seu sonho de um mundo possível podem trazer. Ele nos convida a não ter medo de sermos felizes nos quadros de numa sociedade menos malvada, que nos facilite podermos ser solidários uns com os outros, portadores da alegria de viver e apaixonados amantes da vida.

Colofão

Por ter nascido em uma bela e enevoada colônia alemã de Santa Catarina, que tinha na sede da igreja católica seu epicentro absoluto, costumo dizer que cresci dentro da igreja. Era (e ainda é) uma autêntica igreja de vila, erigida pedra a pedra às expensas e pela força dos braços dos santos locais.

Era nela que me sentia bem, foi lá que conheci as palavras mais belas e perfeitas e as ideias mais refinadas, fosse na retórica das prédicas espantosas dos padres, fosse nos livros.

Lá tínhamos a música, do órgão e do coro a quatro vozes com direito a uma solista de milagrosos agudos, lá nos impregnávamos da arrepiante oração em uníssono, que nos punha em consubstanciação com o divino. Tínhamos a tradição que o Pai Nosso era rezado apenas pelos homens adultos, e por isso, pra criança que eu era, soava como um céu de trovões que se derramava sobre nós e nos protegia de tudo.

Lá acessávamos também a arte pictórica dos vitrais, as esculturas realistas da Via Crucis, e o enredo literário mais incrível de todos os tempos, o de Jesus Cristo, um filho de carpinteiro que se tornou rei dos reis.

Vivemos hoje histórias tão verídicas quanto incríveis como a Dele. O presente livro, de alguma forma, pelo menos a meu ver, liga a Dele à de outro rei entre reis. A oportunidade de editá-lo veio na forma de um presente espiritual que recebemos das mãos do Mauro Lopes, abençoadas pelas da Gisele Frederice e do Leonardo Attuch.

Não obstante, é antes um presente desses autores abnegados, pois que todos, independentemente da fama que têm, cederam seus direitos à Vigília Lula Livre. Na eventual e benfazeja dissolução dessa, pela libertação do Presidente, esses direitos serão redirecionados à Pastoral do Povo da Rua, de São Paulo.

Trata-se de autores que estão entre os conhecidos "melhores brasileiros". Como o editor é antes um leitor, é como leitor que mais tenho a lhes agradecer.

Sálvio Nienkötter